LA MÉTHODE NICOLAS

Distribution: Messageries de Presse Benjamin
101, rue Henry-Bessemer
Bois-des-Fillions (Québec) J6Z 4S9

LA MÉTHODE NICOLAS

NICOLAS

Préparez vos repas de la semaine en 3 heures

ÉDITIONS
LA SEMAINE

LES ÉDITIONS LA SEMAINE
2050, rue de Bleury, bureau 500
Montréal (Québec) H3A 2J5

Éditeur: Claude J. Charron
Éditeur délégué: Claude Leclerc
Directrice des éditions: Annie Tonneau
Directeur artistique: Éric Béland
Coordonnatrice aux éditions: Françoise Bouchard
Concepteur: Dominic Bellemare

Directeur des opérations: Réal Paiement
Superviseure de la production: Lisette Brodeur
Assistants-contremaîtres: Valérie Gariépy, Steve Paquette
Infographiste: Michel Malouin
Réviseurs-correcteurs: Paul Lafrance, Sara-Nadine Lanouette, Roger Magini, Corinne de Vailly,
Scanneristes: Patrick Forgues, Éric Lépine, Estelle Siguret

Photos: Couverture et intérieures: Christian Savard et Moreau Turenne international inc.
Styliste: Nathalie Gauthier
Maquillage: Sylvie Plourde

Remerciements: Gouvernement du Québec - Programme de crédits d'impôts
pour l'édition de livres - gestion SODEC

© Charron Éditeur Inc.
Dépôt légal: Premier trimestre 2007
Bibliothèque nationale du Québec
Bibliothèque nationale du Canada
ISBN: 978-2-923501-19-2

REMERCIEMENTS

Ces petits mots tout simples s'adressent à une Grande Dame pour laquelle j'ai une admiration, un respect et une affection sans borne. Je parle bien sûr de toi, MARIE DUMAIS.

Tu n'as jamais cessé de croire en moi. Tu as su gérer et corriger chaque épreuve de ce livre avec dévouement et rigueur. Tu as mis ton talent et ta plume à ma disposition, bien souvent jusque très tard le soir et même les fins de semaine, et ce, malgré deux émissions de télévision que tu produisais en même temps.

Je sais avec beaucoup de lucidité que ce livre n'aurait pu voir le jour sans toi. S'il y a trois qualités qui te définissent, ce sont bien la noblesse, l'intégrité et l'amour.

Pour finir, tu sais que mon talent ne réside sûrement pas dans la rédaction, mais à force de travailler avec toi, j'ai appris le peu que je sais. C'est donc avec beaucoup d'humilité que je t'écris ces quelques mots.

De tout mon cœur, merci beaucoup MARIE.

Affectueusement,

Nicolas

INTRODUCTION

I n'y a pas si longtemps, nos mères, qui l'avaient appris de leurs propres mères, savaient gérer de façon magistrale la cuisine familiale. Elles prenaient le temps qu'il fallait pour préparer les 21 repas de la semaine, savaient apprêter les restes avec talent et ne toléraient pas que le p'tit dernier ne finisse pas son assiette! Aujourd'hui, le temps nous manque pour tout. Le travail, les enfants, la famille, tout le monde court et notre qualité de vie en prend un coup!

Si les manières de faire de nos mères ne sont plus applicables aujourd'hui, cela ne veut pas dire que le plaisir de cuisiner et bien manger ont disparu pour autant! Il s'agit donc de trouver NOTRE façon de faire, NOTRE méthode, et je crois l'avoir dénichée!

Depuis deux ans, à la maison, j'applique ce que j'appelle **LA MÉTHODE NICOLAS**, inspirée de mon expérience en restauration. À l'époque, chaque soir après le service, mon équipe et moi préparions les mets cuisinés dont nous aurions besoin le lendemain pour satisfaire les 200 clients qui n'auraient que 50 minutes pour dîner. Si ça marchait pour un restaurant, ça pouvait aussi marcher dans les cuisines familiales!

LA MÉTHODE NICOLAS, qui a fait l'objet d'une série de 26 émissions diffusées sur les ondes de Canal Vie en 2006-2007, consiste donc à préparer en un après-midi les cinq repas de la semaine. Résultat: de bons repas chaque jour, sans avoir à courir à l'épicerie après le travail, à cuisiner en vitesse et à récurer plats et ustensiles en soirée.

Ce livre couvre 20 semaines à raison de 5 recettes pour 4 personnes par semaine, il propose des suggestions de légumes d'accompagnement, des conseils de cuisson, de conservation et de réchauffement, et 10 desserts.

Et si l'idée de consacrer tous vos dimanches après-midi à vos fourneaux ne vous sourit pas beaucoup, pourquoi ne pas inviter le reste de la famille à vous donner un coup de main!

Avec **LA MÉTHODE NICOLAS**, finis les soupers pris sur le pouce, les repas congelés du commerce, les pizzas et autres fast-food sur lesquels on a trop souvent tendance à nous rabattre, faute de temps, d'idées et d'organisation.

Grâce à **LA MÉTHODE NICOLAS**, la corvée des repas étant réglée en quelques heures, vous aurez plus de temps pour vous et votre famille, toute la semaine!

Pensez-y, c'est comme si vous aviez un traiteur-maison!

GUIDE

Ce livre n'est pas un livre de cuisine conventionnel. Certes, vous y trouverez une centaine de recettes, mais surtout une méthode claire qui vous aidera, si vous la suivez pas à pas, à faire vos 5 repas de la semaine en un après-midi. Chaque chapitre, ou semaine, est divisé en 3 parties.

Partie 1
La liste des ingrédients des 5 plats de la semaine, accompagnés des temps de préparation et de cuisson.

Partie 2
Les 5 recettes, étape par étape, ainsi que des conseils de conservation. Si vous voulez faire les 5 recettes au menu, je vous conseille de suivre les étapes. Par contre, si vous ne souhaitez faire qu'une ou plusieurs recettes, reportez-vous au tableau de la dernière page de la partie 2, où vous trouverez la marche à suivre pour chaque recette.

Partie 3
La liste d'épicerie de la semaine. Vous y trouverez tous les ingrédients nécessaires pour faire les 5 recettes, dont plusieurs font sûrement partie de vos provisions de base. Les quantités vous sembleront parfois énormes, mais n'oubliez pas que vous vous apprêtez à faire 5 repas pour 4 personnes!

Avant de commencer, assurez-vous d'avoir...
Tous les ingrédients des recettes que vous voulez faire, tout le matériel requis (ustensiles de cuisine, que je vous conseille de nettoyer au fur et à mesure de leur utilisation, contenants pour l'entreposage des plats) ainsi que l'espace nécessaire dans le réfrigérateur et le congélateur pour entreposer les aliments que vous servirez plus tard en semaine.

La qualité

Pour moi, la qualité de la viande est primordiale. Voilà pourquoi je fais toujours appel à mes copains Renaud et Christian Gadoury, d'authentiques bouchers comme il ne s'en fait malheureusement presque plus.

1

Au menu cette semaine

liste des ingrédients pour chaque repas

RATATOUILLE

Les ingrédients

⅓ tasse (80 ml)	huile d'olive
2	aubergines moyennes, d'environ 1 lb (500 g) chacune, pelées et coupées en dés
4	courgettes moyennes coupées en dés
4	oignons moyens coupés en dés
2	poivrons rouges coupés en dés
1	poivron jaune coupé en dés
4	gousses d'ail hachées
2 c. à soupe (30 ml)	thym séché
2 c. à soupe (30 ml)	miel
1 boîte de 28 oz (796 ml)	tomates italiennes en dés
2 c. à soupe (30 ml)	pesto de basilic
	sel et poivre, au goût

Le temps nécessaire:
10 minutes de préparation + 30 minutes de cuisson

 Nécessaire pour la soupe, le pilaf, les fusillis et les pizzas. S'il en reste, l'utiliser comme accompagnement.

CRUMBLE D'AUBERGINES ET DE VEAU

Les ingrédients

2	aubergines moyennes, d'environ 1lb (500 g) chacune, pelées et coupées en dés
1	courgette moyenne coupée en dés
2	oignons moyens coupés en dés
½ tasse (125 ml)	vinaigre balsamique
3 c. à soupe (45 ml)	huile d'olive
2 c. à soupe (30 ml)	sel fin
1 c. à thé (5 ml)	poivre
⅓ tasse (80 ml)	huile de canola ou de tournesol
2 lb (1 kg)	veau haché
2 c. à soupe (30 ml)	concentré liquide de bœuf

Crumble

3 tasses (750 ml)	parmesan frais râpé
¾ lb (375 g)	beurre légèrement ramolli
2 tasses (500 ml)	farine

Le temps nécessaire: 15 minutes de préparation + 20 minutes de macération + 45 minutes de cuisson

GRATIN DE THON

Les ingrédients

1	aubergine moyenne, d'environ 1 lb (500 g), pelée et coupée en dés
1	courgette moyenne coupée en dés
1	oignon moyen coupé en dés
⅓ tasse (80 ml)	vinaigre balsamique
2 c. à soupe (30 ml)	huile d'olive
3 boîtes de 6 oz (170 g) dans l'eau	thon émietté
4	tranches de pain au levain (ou au choix)
	sel et poivre, au goût

Le temps nécessaire:
10 minutes de préparation
+ 20 minutes de macération

Béchamel au fromage

3 c. à soupe (45 ml)	beurre
3 c. à soupe (45 ml)	farine
1 ½ tasse (375 ml)	lait à 2 %, froid
1 tasse (250 ml)	cheddar râpé
2 c. à soupe (30 ml)	parmesan frais râpé
1	gros jaune d'œuf

Le temps nécessaire:
10 minutes de cuisson (béchamel)
+ 30 minutes de cuisson (gratin)

SOUPE À LA PROVENÇALE

Les ingrédients

2 tasses (500 ml)	ratatouille (voir recette)
4 tasses (1 L)	bouillon de bœuf, de poulet ou de légumes
2 c. à soupe (30 ml)	concentré liquide de bœuf, de poulet ou de légumes
¼ tasse (60 ml)	parmesan frais râpé, pour servir

Le temps nécessaire:
1 à 2 minutes de préparation
+ 10 minutes de cuisson

PIZZAS AU JAMBON, À LA FETA ET AUX OLIVES

Les ingrédients

4	pains pitas de grandeur moyenne
¼ tasse (60 ml)	pesto de basilic
3 tasses (750 ml)	ratatouille bien égouttée (voir recette)
8 oz (250 g)	jambon coupé en lanières
20	olives kalamata noires dénoyautées
2 tasses (500 ml)	fromage feta émietté
2 tasses (500 ml)	fromage suisse râpé

Le temps nécessaire:
10 minutes de préparation
+ 10 minutes de cuisson

PILAF DE VEAU ET DE CHAMPIGNONS AUX ÉPICES D'ORIENT

Les ingrédients

2 tasses (500 ml)	riz basmati
⅓ tasse (80 ml)	huile de canola ou de tournesol
1 lb (500 g)	veau haché
8 oz (225 g)	champignons blancs coupés finement
3	oignons verts émincés
3	gousses d'ail hachées
1 c. à thé (5 ml)	cumin moulu
1 c. à thé (5 ml)	cari moulu
4 tasses (1 L)	bouillon de bœuf
2 c. à soupe (30 ml)	concentré liquide de bœuf
¾ tasse (180 ml)	ratatouille (voir recette)
1	bâton de cannelle

Le temps nécessaire:
10 minutes de préparation
+ 30 minutes de cuisson

FUSILLIS AUX CREVETTES, À LA PANCETTA ET AUX TOMATES SÉCHÉES

Les ingrédients

6 tasses (1,5 L)	fusillis
½ tasse (125 ml)	huile de canola ou de tournesol
4 oz (125 g)	pancetta (environ 10 tranches) hachée
4	oignons verts hachés
10	tomates séchées hachées
1 c. à thé (5 ml)	graines d'anis
1 tasse (250 ml)	ratatouille (voir recette)
¾ tasse (180 ml)	crème à cuisson (15 %)
1 lb (500 g)	crevettes nordiques, cuites et décortiquées
¼ tasse (60 ml)	parmesan frais râpé
	sel et poivre, au goût

Le temps nécessaire:
10 minutes de préparation
+ 5 minutes de cuisson

La note du chef

Crumble d'aubergines et de veau

Le crumble est un gâteau aux fruits d'origine britannique.
Il aurait été inventé pendant la Seconde Guerre mondiale
pour remplacer les tartes, qui demandaient beaucoup de farine,
un produit alors rationné. En anglais, *to crumble* signifie
«s'émietter», en référence à la texture friable de la garniture
de ce plat, qu'on appelle croustade au Québec.

      Puisque le crumble peut aussi être fait avec de la viande,
j'ai remplacé les fruits par des
aubergines et du veau, et
la garniture sucrée par un
mélange de beurre, de farine
et de parmesan.

La semaine 1, étape par étape...

PILAF DE VEAU ET DE CHAMPIGNONS AUX ÉPICES D'ORIENT

ÉTAPE 3
GRATIN
préparation du pain
- Faire griller le pain.

ÉTAPE 4
RATATOUILLE
**préparation et cuisson
du reste des légumes**
- Couper les poivrons et l'ail.
- Chauffer l'huile dans un chaudron, y ajouter les aubergines, oignons et courgettes déjà préparés, les poivrons, l'ail, le thym et le miel. Laisser étuver 10 minutes.

ÉTAPE 5
CRUMBLE
préparation de la garniture
- Chauffer le four à 375 °F (190 °C).
- Dans le bol du robot culinaire, mélanger le parmesan, le beurre et la farine jusqu'à l'obtention d'une consistance granuleuse.

ÉTAPE 6
CRUMBLE
**cuisson de la viande,
montage et cuisson**
- Dans une poêle antiadhésive, saisir le veau dans l'huile jusqu'à cuisson complète.
- Égoutter l'excédent de gras, ajouter le concentré et incorporer à la préparation de légumes.
- Déposer dans un plat de pyrex rectangulaire (3 L) et couvrir avec la garniture beurre-parmesan-farine.
- Cuire au four 45 minutes.

> Pour éviter que la garniture beurre-parmesan-farine ne soit trop collante, il suffit de se mouiller légèrement le bout des doigts avant de la manipuler.

ÉTAPE 1
RATATOUILLE, CRUMBLE ET GRATIN
préparation des légumes
- Peler et couper les aubergines, les oignons et les courgettes. Les répartir selon les quantités demandées pour chacune de ces recettes.

ÉTAPE 2
CRUMBLE ET GRATIN
assaisonnement et macération
- Ajouter le vinaigre balsamique, l'huile d'olive, le sel et le poivre aux légumes du crumble et du gratin.
- Laisser macérer 20 minutes.

ÉTAPE 7
RATATOUILLE
ajout du reste des ingrédients
- Une fois les 10 minutes d'étuvage écoulées, ajouter les tomates, le pesto, le sel et le poivre.
- Poursuivre la cuisson 20 minutes.

ÉTAPE 8
GRATIN
préparation de la béchamel
- Faire fondre le beurre dans une casserole.
- Ajouter la farine en pluie et cuire de 2 à 3 minutes jusqu'à l'obtention d'une boule.
- Incorporer le lait en filet jusqu'à l'obtention d'une sauce onctueuse, puis retirer du feu.
- Ajouter les fromages et le jaune d'œuf, et remuer jusqu'à consistance onctueuse.

ÉTAPE 9
GRATIN
montage et cuisson
- Égoutter le thon et l'ajouter aux légumes.
- Dans un plat de pyrex carré (2 L), déposer les tranches de pain grillées, les couvrir du mélange de légumes et de thon, puis napper de béchamel.
- Gratiner 30 minutes au four à 375 °F (190 °C).

ÉTAPE 10
RATATOUILLE
fin de la cuisson et entreposage
- Retirer la ratatouille du feu. Réserver 3 tasses (750 ml) pour les pizzas, 2 tasses (500 ml) pour la soupe, 1 tasse (250 ml) pour les fusillis et ¾ tasse (180 ml) pour le pilaf. Laisser refroidir le reste avant d'entreposer au frigo dans un plat hermétiquement fermé.

La conservation: 7 jours. On peut aussi la congeler.

La ratatouille, qui peut être servie chaude ou froide avec de la viande et du poisson, est un mets typiquement provençal. Pas étonnant de la retrouver dans notre soupe à la provençale!

ÉTAPE 11
SOUPE
montage et cuisson
- Dans un chaudron, à feu moyen, chauffer le bouillon et le concentré avec la ratatouille environ 10 minutes.

ÉTAPE 12
FUSILLIS
préparation de l'eau pour les pâtes
- Dans un autre chaudron, porter de l'eau salée à ébullition.

ÉTAPE 13
SOUPE
fin de la cuisson et entreposage
- Retirer la soupe du feu et laisser refroidir avant d'entreposer au frigo dans un plat hermétiquement fermé.

La conservation: 5 jours. On peut aussi la congeler.

Le jour J: Chauffer à feu moyen 5 minutes. Au moment de servir, saupoudrer de parmesan frais râpé.

ÉTAPE 14
PILAF
préparation des légumes et début de la cuisson
- Rincer le riz pour en retirer l'amidon.
- Couper les légumes.
- Dans une grande casserole, chauffer l'huile à feu vif et y saisir le veau.
- Ajouter le riz, les légumes, le cumin et le cari. Bien mélanger. Cuire environ 5 minutes à feu moyen.

La semaine 1, étape par étape (suite)

ÉTAPE 15
FUSILLIS
cuisson des pâtes
- Cuire les fusillis al dente ou selon la méthode indiquée sur l'emballage.

ÉTAPE 16
PILAF
cuisson (suite)
- À la préparation de riz, ajouter le bouillon et le concentré de bœuf, la ratatouille et le bâton de cannelle.
- Porter à ébullition, réduire le feu au minimum et couvrir.
- Laisser cuire environ 20 minutes ou jusqu'à absorption totale du liquide.

ÉTAPE 17
FUSILLIS
fin de la cuisson des pâtes
- Égoutter les fusillis, y ajouter la moitié de la quantité d'huile demandée et réserver.

FUSILLIS AUX CREVETTES, À LA PANCETTA ET AUX TOMATES SÉCHÉES

ÉTAPE 18
FUSILLIS
cuisson des ingrédients d'accompagnement et montage
- Râper le parmesan.
- Hacher la pancetta, les oignons verts et les tomates séchées; faire revenir dans une grande poêle antiadhésive avec le reste de l'huile et l'anis.
- Ajouter la ratatouille, la crème, les crevettes et le parmesan; saler et poivrer au goût.
- Bien remuer et laisser mijoter environ 1 minute.
- Ajouter les pâtes.
- Laisser refroidir et entreposer au frigo dans un plat hermétiquement fermé.

La conservation: 5 jours. On peut aussi les congeler.

Le jour J: Chauffer doucement 1 ou 2 minutes à la poêle ou au micro-ondes.

En règle générale, l'utilisation de la pancetta au lieu du bacon réduit considérablement le gras dans une recette.

ÉTAPE 19
CRUMBLE
fin de la cuisson et entreposage
- Sortir le crumble du four.
- Laisser refroidir, couvrir hermétiquement et entreposer au frigo.

La conservation: 5 jours. On peut aussi le congeler.

Le jour J: Réchauffer au four à 300 °F (150 °C) environ 20 minutes.

ÉTAPE 20
PIZZAS
Montage
- Râper le fromage suisse et couper le jambon.
- Étendre le quart du pesto sur chaque pita.
- Y répartir la ratatouille égouttée en prenant soin de laisser ⅓ po (1 cm) libre tout le tour.
- Ajouter le jambon, les olives et les fromages.
- Déposer sur une plaque à cuisson et cuire 10 minutes au four.

Vous pouvez congeler ces pizzas, mais je vous recommande plutôt de les préparer à la dernière minute, car il s'agit d'une recette vraiment rapide à faire!

ÉTAPE 21
GRATIN
fin de la cuisson et entreposage
- Sortir le gratin du four.
- Laisser refroidir, couvrir hermétiquement et entreposer au frigo.

La conservation: **5 jours**

Le jour J: **Réchauffer 15 minutes au four à 375 °F (190 °F).**

ÉTAPE 22
PILAF
fin de la cuisson et entreposage
- Retirer le pilaf du feu et laisser refroidir avant d'entreposer au frigo dans un plat hermétiquement fermé.

La conservation: **5 jours. On peut aussi le congeler.**

Le jour J: **Réchauffer 1 ou 2 minutes au micro-ondes.**

Repérer vos recettes préférées

RATATOUILLE	étapes 1, 4, 7 et 10
CRUMBLE D'AUBERGINES ET DE VEAU	étapes 1, 2, 5, 6 et 19
GRATIN DE THON	étapes 1, 2, 3, 8, 9 et 21
SOUPE À LA PROVENÇALE	étapes 1, 4, 7, 10, 11 et 13
PIZZAS AU JAMBON, À LA FETA ET AUX OLIVES	étapes 1, 4, 7, 10 et 20
PILAF DE VEAU ET DE CHAMPIGNONS AUX ÉPICES D'ORIENT	étapes 1, 4, 7, 10, 14, 16 et 22
FUSILLIS AUX CREVETTES, À LA PANCETTA ET AUX TOMATES SÉCHÉES	étapes 1, 4, 7, 10, 12, 15, 17 et 18

liste d'épicerie de la semaine 1 ✓

Fruits et légumes

7	oignons
7	oignons verts
2	poivrons rouges
1	poivron jaune
7	gousses d'ail
6	courgettes
5	aubergines d'environ 1 lb (500 g) chacune
8 oz (225 g)	champignons blancs
10	tomates séchées
1 boîte de 28 oz (796 ml)	tomates italiennes en dés
20	olives kalamata noires dénoyautées

Œufs et produits laitiers

16 oz (500 g)	fromage parmesan frais
3 ½ oz (100 g)	fromage cheddar
10 ½ oz (300 g)	fromage suisse
10 ½ oz (300 g)	fromage feta
1 lb (500 g)	beurre salé
¾ tasse (180 ml)	crème à cuisson (15 %)
1 ½ tasse (375 ml)	lait 2 %
1	jaune d'œuf

Viandes, poissons et fruits de mer

3 lb (1,5 kg)	veau haché
4 oz (125 g)	pancetta
8 oz (250 g)	jambon cuit
1 lb (500 g)	crevettes nordiques, cuites et décortiquées
3 boîtes de 6 oz (170 g)	thon émietté dans l'eau

Herbes, épices, sauces et condiments

1 c. à thé (5 ml)	cumin moulu
1 c. à thé (5 ml)	cari moulu
2 c. à soupe (30 ml)	thym séché
1	bâton de cannelle
1 c. à thé (5 ml)	graines d'anis
environ ½ tasse (125 ml)	pesto de basilic

Bouillons, huiles et vinaigres

8 tasses (2 L)	bouillon de bœuf
environ ½ tasse (125 ml)	concentré liquide de bœuf
environ 1 ¼ tasse	huile de canola ou de tournesol
environ ⅔ tasse (180 ml)	huile d'olive
environ 1 tasse (250 ml)	vinaigre balsamique

Riz, pains, pâtes et céréales

6 tasses (1,5 L)	pâtes fusillis
2 tasses (500 ml)	riz basmati
4	pains pitas de grandeur moyenne
4	tranches de pain au levain

Fonds de cuisine

2 c. à soupe (30 ml)	miel
2 ¼ tasses (560 ml)	farine
	sel et poivre en quantité suffisante

2

Au menu cette semaine

liste des ingrédients pour chaque repas

ASPERGES ET BROCOLIS À L'HUILE D'OLIVE ET AU PARMESAN

Les ingrédients

2	bottes d'asperges de grosseur moyenne (une trentaine)
2	têtes de brocoli
¼ tasse (60 ml)	fromage parmesan frais râpé
¼ tasse (60 ml)	huile d'olive
	sel et poivre, au goût

Le temps nécessaire: 5 minutes de préparation + 3 minutes de cuisson

LA MIREPOIX

3	branches de céleri coupées finement
3	carottes coupées finement
1	oignon coupé finement

Le temps nécessaire:
10 minutes de préparation
+ 2 heures et demie de cuisson

 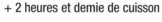 Nécessaire pour le mijoté et le riz

MIJOTÉ DE BŒUF À LA MOUTARDE ET AU GINGEMBRE

Les ingrédients

⅓ tasse (80 ml)	huile de canola ou de tournesol
4 lb (2 kg)	cubes de bœuf à mijoter
3 c. à soupe (45 ml)	farine tout usage
6	pommes de terre jaunes moyennes, pelées et coupées en 2
6	gousses d'ail hachées grossièrement
⅓ tasse (80 ml)	gingembre frais haché
1 c. à soupe (15 ml)	thym séché
8 tasses (2 L)	bouillon de bœuf
2 c. à soupe (30 ml)	concentré liquide de bœuf
1	chou vert d'environ 1 lb (500 g) coupé en 8
1	navet d'environ 1 lb (500 g) coupé en gros dés
6	carottes moyennes coupées en rondelles
3 c. à soupe (45 ml)	moutarde de Dijon
1 paquet	fromage à la crème de 8 oz (250 g)
	sel et poivre frais du moulin, au goût
2 tasses (750 ml)	mirepoix (voir recette)

Le temps nécessaire: 20 minutes de préparation + 2 heures et demie de cuisson

RIZ DES CARAÏBES

Les ingrédients

⅓ tasse (80 ml)	huile de canola ou de tournesol
1 ½ lb (750 g)	poitrines de poulet coupées en lanières
2 tasses (500 ml)	riz basmati, rincé et égoutté
1 c. à thé (5 ml)	thym séché
½ c. à thé (2 ml)	piments séchés (ou au goût)
1 ½ tasse (375 ml)	légumineuses mélangées en conserve, égouttées
4 tasses (1 L)	bouillon de poulet
2 c. à soupe (30 ml)	concentré liquide de poulet
1 tasse (250 ml)	ananas en dés en conserve (ou environ 5 tranches)
¾ tasse (180 ml)	jus d'ananas (utiliser le jus de la conserve)
1 tasse (250 ml)	lait de coco en conserve
1	bâton de cannelle
	sel et poivre, au goût
1 tasse (250 ml)	mirepoix (voir recette)

Le temps nécessaire: 15 minutes de préparation + 30 minutes de cuisson

SAUCE MÉDITERRANÉENNE

Les ingrédients

⅓ tasse (80 ml)	huile de canola ou de tournesol
6	oignons verts coupés finement
8	tomates séchées dans l'huile, hachées
½ tasse (125 ml)	olives noires kalamata, dénoyautées et hachées
4	gousses d'ail hachées
¼ tasse (60 ml)	câpres
2 c. à soupe (30 ml)	concentré liquide de bœuf, de poulet ou de légumes
2 c. à soupe (30 ml)	miel
1 boîte de 28 oz (796 ml)	tomates italiennes en dés
8 oz (250 g)	crevettes nordiques, cuites et décortiquées
8 oz (250 g)	pétoncles de baie (petits)
3 c. à soupe (45 ml)	persil italien frais, haché
	sel et poivre, au goût

Le temps nécessaire: 10 minutes de préparation + 20 minutes de cuisson

 Nécessaire pour les linguines et le délice de la Méditerranée

LINGUINES CALABRESE À LA SAMBUCA

Les ingrédients

1 boîte de 1 lb (500 g)	linguines
⅓ tasse (80 ml)	huile de canola ou de tournesol (pour les pâtes)
¼ tasse (60 ml)	huile de canola ou de tournesol (pour la garniture)
	La moitié de la sauce méditerranéenne (voir recette)
6	saucisses italiennes douces, blanchies
1	poivron rouge coupé finement
1 pincée	piments séchés (ou au goût)
1 tasse (250 ml)	crème à cuisson (15 %)
¼ tasse (60 ml)	fromage parmesan frais râpé
2 c. à soupe (30 ml)	sambuca (liqueur d'anis)
	feuilles de basilic frais, pour décorer

Le temps nécessaire: 10 minutes de préparation + 10 minutes de cuisson

TOURTES DE BŒUF ET DE PORC À LA LIQUEUR DE BLEUET

Les ingrédients

4 tasses (1 L)	mijoté de bœuf (avant d'y ajouter la moutarde et le fromage)
⅓ tasse (80 ml)	huile de canola ou de tournesol
2	pommes de terre, pelées et coupées en cubes
6 tranches	bacon hachées finement
2 lb (1 kg)	porc haché
3 c. à soupe (45 ml)	farine
¼ tasse (60 ml)	liqueur de bleuet (ou crème de cassis)
4	fonds de tarte congelés, dégelés
4	abaisses de pâte brisée congelées (pour recouvrir les tourtes), dégelées
2	œufs (blancs et jaunes séparés)
	sel et poivre, au goût

Le temps nécessaire: 20 minutes de préparation + 40 minutes de cuisson

DÉLICE DE LA MÉDITERRANÉE

Les ingrédients

2 c. à soupe (30 ml)	huile d'olive
4	filets de morue fraîche d'environ 5 oz (150 g) chacun
	La moitié de la sauce méditerranéenne (voir recette)
	sel et poivre, au goût

Le temps nécessaire: 10 minutes de préparation + 20 minutes de cuisson

VINAIGRETTE DIJONNAISE À L'ÉRABLE

Les ingrédients

4	échalotes françaises hachées
2 c. à soupe (30 ml)	sirop d'érable
3 c. à soupe (45 ml)	vinaigre de cidre de pomme
2 c. à soupe (30 ml)	moutarde de Dijon
1 ½ tasse (375 ml)	huile de canola ou de tournesol
	sel et poivre, au goût

Le temps nécessaire: 5 minutes de préparation

La note du chef

Riz des Caraïbes

Mon riz des Caraïbes est un fabuleux festival de saveurs!
Voici sa petite histoire.

J'ai d'abord pensé à un mélange d'ananas, de lait de coco et de jalapeños. La saveur de ceux-ci étant trop présente, je les ai remplacés par des piments séchés.

Mais il manquait encore quelque chose. C'est alors que j'ai pensé ajouter un bâton de cannelle.
Et voilà, j'avais trouvé la combinaison gagnante:
ananas, lait de coco, piments séchés et cannelle!

La semaine 2, étape par étape...

ÉTAPE 1
ASPERGES ET BROCOLIS
préparation et cuisson
- Mettre une casserole d'eau salée à bouillir pour la cuisson des légumes.
- Couper ou casser les pieds des asperges au point de jonction des parties dures et tendres, jeter les pieds, puis éplucher les asperges pour en retirer les fibres.
- Couper les têtes de brocoli en bouquets de grosseur égale.
- Plonger les légumes dans l'eau bouillante et cuire 3 minutes.
- Passer ensuite à l'eau très froide pour arrêter la cuisson. Éponger et réfrigérer dans un plat hermétiquement fermé.

La conservation: 7 jours

Le jour J: Verser un filet d'huile sur les légumes et saupoudrer de parmesan. Saler et poivrer au goût, puis réchauffer doucement au micro-ondes. Servir avec la vinaigrette à l'érable (voir recette).

LINGUINES CALABRESE
À LA SAMBUCA

ÉTAPE 2
MIJOTÉ, RIZ ET TOURTES
préparation de la mirepoix et des pommes de terre
- Couper les légumes de la mirepoix (carottes, oignons et céleri) pour le mijoté et le riz.
- Couper les pommes de terre en 2 pour le mijoté et en dés pour les tourtes.
- Réserver séparément dans des bols d'eau froide.

ÉTAPE 3
MIJOTÉ
cuisson de la viande et des légumes
- Couper le reste des légumes et hacher le gingembre.
- Dans un grand chaudron, faire saisir le bœuf dans l'huile à feu vif, jusqu'à coloration.
- Saupoudrer de farine, mélanger et poursuivre la cuisson 2 minutes.
- Ajouter 2 tasses (500 ml) de mirepoix, l'ail, le gingembre et le thym; saler et poivrer. Bien mélanger et continuer la cuisson pendant 2 minutes.
- Ajouter le bouillon et le concentré de bœuf, puis porter à ébullition.
- Réduire le feu de moitié et laisser mijoter 2 heures et demie.

ÉTAPE 4
RIZ
préparation et cuisson
- Rincer le riz jusqu'à ce que l'eau soit claire pour en retirer l'amidon.
- Couper le poulet en lanières et faire saisir dans l'huile, à feu vif, pendant 1 minute.
- Ajouter le reste de la mirepoix (environ 1 tasse ou 250 ml) et le riz, puis continuer la cuisson environ 2 minutes.
- Ajouter le thym, les piments séchés, les légumineuses, le bouillon et le concentré de poulet, l'ananas et son jus, le lait de coco et le bâton de

cannelle; saler et poivrer. Mélanger
et porter à ébullition.
• Couvrir, réduire le feu au minimum
et continuer la cuisson pendant
25 minutes ou jusqu'à absorption
totale du liquide.

ÉTAPE 5
DÉLICE ET TOURTES
préchauffage du four
• Préchauffer le four à 375 °F (190 °C).

ÉTAPE 6
VINAIGRETTE
préparation et entreposage
• Hacher les échalotes.
• Déposer tous les ingrédients sauf
l'huile dans le robot culinaire.
Mélanger quelques secondes, puis
incorporer l'huile en filet, en continuant d'actionner l'appareil, jusqu'à
l'obtention d'un mélange homogène.
• Garder au frigo dans un contenant
hermétique.

La conservation: 5 jours

Le jour J: Servir sur vos légumes de
la semaine préalablement
réchauffés ou sur une salade.

ÉTAPE 7
MIJOTÉ
**ajout des autres légumes
et fin de la cuisson**
• Environ 45 minutes avant la fin de la
cuisson, ajouter le reste des légumes,
soit les pommes de terre, le navet,
les carottes et le chou.

ÉTAPE 8
LINGUINES
préparation des saucisses
• Piquer les saucisses, les plonger
dans une casserole d'eau froide et
porter à ébullition.
• Faire frémir pendant 5 minutes afin
d'éliminer le plus de gras possible.
• Mettre une casserole d'eau salée à
bouillir pour faire cuire les pâtes.

ÉTAPE 9
DÉLICE ET LINGUINES
préparation de la sauce méditerranéenne
• Couper les légumes, les olives
et le persil.
• Dans une grande casserole, saisir à
feu vif dans l'huile les oignons verts.
• Ajouter les tomates séchées, les
olives, l'ail, les câpres, le concentré
de bœuf, le miel et les tomates;
saler et poivrer.
• Ajouter les crevettes, les pétoncles, le
persil italien et poursuivre la cuisson
pendant 1 minute. Réserver.

ÉTAPE 10
RIZ
fin de la cuisson et entreposage
• Retirer le riz du feu, laisser refroidir
et entreposer au frigo dans un plat
hermétiquement fermé.

La conservation: 5 jours. On peut aussi
le congeler.

Le jour J: Faire réchauffer doucement
à la poêle ou au micro-ondes.

ÉTAPE 11
DÉLICE
cuisson de la morue
- Dans un plat allant au four, verser l'huile d'olive, puis déposer les filets de morue.
- Saler, poivrer et recouvrir de sauce méditerranéenne (la moitié de la recette).
- Cuire au four 15 minutes à 375 °F (190 °C).

ÉTAPE 12
LINGUINES
cuisson des pâtes
- Cuire les pâtes al dente ou selon la méthode indiquée sur l'emballage.

ÉTAPE 13
LINGUINES
**fin de la cuisson des pâtes
et des saucisses, et montage**
- Égoutter les linguines, les remettre dans la casserole et ajouter l'huile pour éviter qu'elles ne collent.
- Retirer les saucisses de l'eau et les couper en rondelles.
- Couper le poivron et râper le fromage.
- Dans une poêle antiadhésive, faire saisir dans l'huile les saucisses avec le poivron et les piments séchés, jusqu'à coloration. Ajouter la sauce méditerranéenne restante, la crème, la sambuca et le parmesan.
- Mélanger aux pâtes et laisser refroidir avant de mettre au frigo dans un plat hermétiquement fermé.

La conservation: 4 jours

Le jour J: Faire chauffer doucement à la poêle. Décorer de feuilles de basilic frais avant de servir.

ÉTAPE 14
DÉLICE
fin de la cuisson et entreposage
- Sortir le plat du four. Laisser refroidir, couvrir et entreposer au frigo.

La conservation: 5 jours

Le jour J: Réchauffer à feu très doux au micro-ondes ou au four, à 375 °F (190 °C), pendant 8 minutes.

ÉTAPE 15
TOURTES
préparation de la farce
- Bien éponger les dés de pommes de terre et les faire saisir dans l'huile avec le bacon pendant environ 5 minutes.
- Ajouter le porc haché, saler et poivrer, et cuire parfaitement.

TOURTES DE BŒUF ET DE PORC À LA LIQUEUR DE BLEUET

- Ajouter le mijoté de bœuf bien égoutté (avant d'y avoir ajouté la moutarde et le fromage à la crème).
- Incorporer la farine et la liqueur de bleuet (ou la crème de cassis).
- Cuire 2 ou 3 minutes, soit jusqu'à absorption complète du liquide.

ÉTAPE 16
TOURTES
montage et cuisson

- Déposer les fonds dans 4 assiettes à tarte. Badigeonner de blancs d'œufs pour protéger la pâte de l'humidité, puis remplir de la farce.
- Abaisser la pâte brisée et en recouvrir les tourtes.
- Tracer une croix sur le dessus de chacune pour laisser s'échapper la vapeur.
- Badigeonner ensuite de jaunes d'œufs battus et cuire au four 40 minutes à 375 °F (190 °C).

ÉTAPE 17
MIJOTÉ
fin de cuisson et entreposage

- Avant de retirer le mijoté du feu, incorporer la moutarde et le fromage à la crème, et mélanger jusqu'à ce que le tout soit bien lié.
- Laisser refroidir et entreposer au frigo dans un plat hermétiquement fermé.

La conservation: 5 jours. On peut aussi le congeler.

Le jour J: Réchauffer dans une casserole à feu moyen et servir.

ÉTAPE 18
TOURTES
fin de la cuisson et entreposage

- Sortir les tourtes du four, laisser refroidir, couvrir d'un papier d'aluminium ou d'une pellicule plastique, et entreposer au frigo.

La conservation: 5 jours. On peut aussi les congeler.

Le jour J: Chauffer les tourtes au four à 375 °F (190 °C) pendant 15 minutes.

Hors saison, l'achat de légumes surgelés est un très bon choix: congelés dès leur cueillette, ils sont frais, croquants et savoureux!

Repérer vos recettes préférées

liste d'épicerie de la semaine 2 ☑

Fruits et légumes

2	oignons
4	branches de céleri
10	carottes
1	poivron rouge
2	bottes d'asperges
2	têtes de brocoli
1	navet d'environ 1 lb (500 g)
8	pommes de terre jaunes
1	chou vert d'environ 1b (500 g)
4	échalotes françaises
6	oignons verts
10	gousses d'ail
8	tomates séchées dans l'huile
½ tasse (125 ml)	olives noires kalamata dénoyautées
1 boîte de 28 oz (796 ml)	tomates italiennes en dés
250 ml (1 tasse)	ananas en dés en conserve (et son jus)

Œufs et produits laitiers

2	gros œufs
1 ½ oz (50 g)	fromage parmesan frais râpé
1 paquet de 250 g	fromage à la crème
1 tasse (250 ml)	crème à cuisson (15 %)

Viandes, poissons et fruits de mer

2 lb (1 kg)	porc haché
4 lb (2 kg)	cubes de bœuf à mijoter
1 ½ lb (750 g)	poitrines de poulet
6	saucisses italiennes douces
6	tranches de bacon
4	filets de morue fraîche d'environ 5 oz (150 g) chacun
8 oz (250 g)	crevettes nordiques, cuites et décortiquées
8 oz (250 g)	pétoncles de baie (petits)

Herbes, épices, sauces et condiments

3 c. à soupe (45 ml)	persil italien frais
4	tiges de basilic frais
4 c. à thé (20 ml)	thym séché
¼ tasse (60 ml)	câpres
⅓ tasse (80 ml)	moutarde de Dijon
1 c. à thé (5 ml)	piment fort broyé
1	bâton de cannelle
⅓ tasse (80 ml)	gingembre frais

Bouillons, huiles et vinaigres

8 tasses (2 L)	bouillon de bœuf
4 tasses (1 L)	bouillon de poulet
¼ tasse (60 ml)	concentré liquide de bœuf
2 c. à soupe (30 ml)	concentré liquide de poulet
un peu plus de 3 tasses (750 ml)	huile de canola ou de tournesol
½ tasse (125 ml)	huile d'olive
3 c. à soupe (45 ml)	vinaigre de cidre de pomme

Riz, pains, pâtes et céréales

2 tasses (500 ml)	riz basmati

Noix, graines et légumineuses

1 ½ tasse (375 ml)	légumineuses mélangées en conserve

Fonds de cuisine

2 c. à soupe (30 ml)	miel
2 c. à soupe (30 ml)	sirop d'érable
½ tasse (125 ml)	farine
	sel et poivre en quantité suffisante

Divers

4	fonds de tarte congelés
4	abaisses de pâte brisée congelées
1 tasse (250 ml)	lait de coco
2 c. à soupe (30 ml)	sambuca (liqueur d'anis)
¼ tasse (60 ml)	liqueur de bleuet (ou crème de cassis)

1
2
3
4
5
6
7
8
9
10
11
12
13
14
15
16
17
18
19
20

3

Au menu cette semaine

liste des ingrédients pour chaque repas

LÉGUMES BRAISÉS

Les ingrédients

3	carottes coupées en dés
1	rabiole coupée en dés (petit navet)
2	oignons moyens coupés en dés
1	poivron rouge coupé en dés
1	poivron jaune coupé en dés
4	branches de céleri coupées en dés
3 tasses (750 ml)	petits pois surgelés
3 tasses (750 ml)	maïs surgelé
¾ tasse (180 ml)	eau
2 c. à soupe (30 ml)	concentré liquide de poulet, de légumes ou de bœuf
⅓ tasse (80 ml)	beurre
	sel et poivre, au goût

Le temps nécessaire: 20 minutes de préparation + 15 minutes de cuisson

JAMBON GLACÉ À L'ORANGE

Les ingrédients

7 lb (3,5 kg)	jambon toupie
4 tasses	bouillon de bœuf
1 c. à soupe (15 ml)	concentré liquide de bœuf
2 c. à soupe (30 ml)	fécule de maïs délayée dans un peu d'eau froide (pour la sauce liée)

Glaçage à l'orange

⅔ tasse (160 ml)	marmelade d'oranges
½ tasse (125 ml)	cassonade
1 c. à thé (5 ml)	cannelle
3 c. à soupe (45 ml)	vinaigre de cidre de pomme (ou de vin)
2 c. à soupe (30 ml)	moutarde sèche
2 c. à soupe (30 ml)	fécule de maïs délayée dans un peu d'eau froide

Le temps nécessaire: 5 minutes de préparation + 1 heure de cuisson

ORGE ÉPICÉ

Les ingrédients

2 tasses (250 ml)	orge perlé
3 c. à soupe (45 ml)	huile d'olive
1	oignon moyen haché
1 c. à thé (5 ml)	mélange d'herbes italiennes
1 pincée	poivre de Cayenne
4 tasses (1L)	bouillon de poulet
2 c. à soupe (30 ml)	concentré liquide de poulet
	sel et poivre, au goût

Le temps nécessaire: 10 minutes de préparation + 30 minutes de cuisson

 Nécessaire pour la soupe et la salade

SOUPE DE LÉGUMES EXPRESS

Les ingrédients

2 tasses (500 ml)	légumes braisés (voir recette)
4 tasses (1 L)	bouillon de légumes, de poulet ou de bœuf
2 c. à soupe (30 ml)	concentré liquide de légumes, de poulet ou de bœuf
1 ½ tasse (375 ml)	orge épicé (voir recette)

Le temps nécessaire: 2 minutes de préparation + 20 minutes de cuisson

SALADE D'ORGE PERLÉ ET DE CREVETTES

Les ingrédients

3 tasses (750 ml)	radicchio
2 tasses (500 ml)	roquette
½ tasse (125 ml)	vinaigrette à la moutarde de Meaux (voir recette)
1 lb (500 g)	crevettes nordiques, cuites et décortiquées
2 ½ tasses (625 ml)	orge épicé (voir recette)

Vinaigrette à la moutarde de Meaux

1 c. à soupe (15 ml)	câpres
2 c. à soupe (30 ml)	moutarde de Meaux
4	échalotes françaises
1 c. à soupe (15 ml)	gingembre frais haché
2	gousses d'ail
½	citron (le jus)
2	tiges d'aneth frais
2 c. à soupe (30 ml)	miel
1 tasse (250 ml)	huile de canola ou de tournesol
	sel et poivre, au goût

Le temps nécessaire: 20 minutes de préparation + 30 minutes de cuisson

TILAPIA AU PESTO ET AUX CANNEBERGES

Les ingrédients

2 c. à soupe (30 ml)	huile de canola ou de tournesol
4	filets de tilapia d'environ 5 oz (150 g) chacun
2 c. à soupe (30 ml)	pesto de basilic
8 oz (250 g)	pétoncles de baie (petits)
3 c. à soupe (45 ml)	canneberges séchées sucrées
1	poivron jaune en julienne
1 tasse (250 ml)	sauce liée du jambon glacé (voir recette)
	sel et poivre, au goût

Le temps nécessaire: 5 minutes de préparation + 15 minutes de cuisson

FRITTATA AU JAMBON GLACÉ

Les ingrédients

3 c. à soupe (45 ml)	huile d'olive
8	gros œufs
1 tasse (250 ml)	crème à cuisson (15 %) ou lait
1	avocat coupé en dés
1 tasse (250 ml)	jambon glacé (voir recette) coupé en cubes
10 (250 ml)	feuilles de basilic frais ciselées
1 tasse (250 ml)	fromage gruyère râpé
¾ tasse (180 ml)	légumes braisés (voir recette)
	sel et poivre, au goût

Le temps nécessaire: 10 minutes de préparation + 25 minutes de cuisson

HACHIS PARMENTIER DE JAMBON GLACÉ

Les ingrédients

4 tasses (1 L)	jambon glacé (voir recette) coupé en dés
2 tasses (500 ml)	légumes braisés (voir recette)
1 c. à soupe (15 ml)	beurre pour graisser le plat

La purée de pommes de terre

2 lb (1 kg)	pommes de terre jaunes, pelées et coupées en 4 (environ 12 moyennes)
½ tasse (125 ml)	crème à cuisson (15 %)
2 c. à soupe (30 ml)	beurre fondu
¾ tasse (180 ml)	fromage Monterey Jack râpé
	sel et poivre, au goût

Le temps nécessaire: 10 minutes de préparation + 30 minutes de cuisson

La note du chef

Hachis Parmentier de jambon glacé

Savez-vous pourquoi les plats comme le hachis Parmentier et le potage Parmentier sont faits avec des pommes de terre? C'est en souvenir d'Antoine Augustin Parmentier, pharmacien et agronome français. Vers 1770, il fit découvrir la pomme de terre aux Français qui s'en servaient alors pour nourrir le bétail!

   La recette traditionnelle du hachis Parmentier ne comporte que du bœuf, des pommes de terre et des oignons. Une sorte de pâté chinois, le maïs en moins! Mais puisque, cette semaine, nous avons du jambon et des légumes braisés au menu, j'ai pensé revisiter ce plat. J'ai remplacé le bœuf par du jambon, ajouté des légumes braisés et incorporé du fromage à ma purée de pommes de terre. Monsieur Parmentier serait sûrement fier de moi!

La semaine 3, étape par étape…

SOUPE DE
LÉGUMES
EXPRESS

- Chauffer à feu moyen environ 5 minutes, soit le temps que la cassonade fonde.
- À l'aide d'un fouet, incorporer graduellement la fécule de maïs délayée, laisser épaissir 1 ou 2 minutes et réserver.

ÉTAPE 4
JAMBON
glaçage et cuisson
- Retirer le jambon de l'eau et le couper en 2 dans le sens de la longueur.
- Déposer dans une rôtissoire et verser le bouillon et le concentré de bœuf.
- Badigeonner du tiers du glaçage et répéter l'opération deux fois pendant la cuisson.
- Cuire au four 45 minutes à 375 °F (190 °C).

ÉTAPE 1
JAMBON
dessalement
- Plonger le jambon dans un chaudron d'eau froide, porter à ébullition et laisser frémir 15 minutes.

ÉTAPE 5
LÉGUMES BRAISÉS
préparation et cuisson
- Couper tous les légumes.
- Les déposer dans une casserole et ajouter l'eau, le bouillon concentré, le beurre, le sel et le poivre.
- Braiser 15 minutes.

ÉTAPE 2
SOUPE ET SALADE
cuisson de l'orge épicé
- Hacher l'oignon.
- Dans une passoire, bien rincer l'orge à grande eau.
- Chauffer l'huile dans une casserole. Faire revenir à feu vif l'oignon, les herbes italiennes et le poivre de Cayenne. Ajouter l'orge, le bouillon et le concentré de poulet. Saler et poivrer, puis porter à ébullition.
- Réduire le feu au minimum et couvrir. Laisser cuire 30 minutes.

ÉTAPE 6
SOUPE ET SALADE
fin de la cuisson de l'orge épicé
- Retirer la casserole du feu et réserver.

ÉTAPE 7
JAMBON
cuisson (suite)
- Badigeonner le jambon d'un autre tiers de glaçage et poursuivre la cuisson.

ÉTAPE 3
JAMBON
préparation du glaçage
- Préchauffer le four à 375 °F (190 °C).
- Dans une casserole, mélanger la marmelade, la cassonade, la cannelle, le vinaigre de cidre et la moutarde.

ÉTAPE 8
LÉGUMES BRAISÉS
fin de la cuisson et entreposage
- Retirer les légumes braisés du feu.
- Réserver 2 tasses (500 ml) pour la soupe, 3/4 tasse (180 ml) pour la frittata et 2 tasses (500 ml) pour le hachis Parmentier.
- Laisser refroidir le reste et entreposer au frigo dans un plat hermétiquement fermé.

La conservation: 4 jours

Le jour J: Réchauffer doucement au micro-ondes.

ÉTAPE 9
SOUPE
préparation et cuisson
- Mélanger le bouillon et le concentré de légumes dans une casserole.
- Ajouter les légumes braisés et l'orge épicé, puis laisser mijoter 10 minutes.

ÉTAPE 10
JAMBON
cuisson (suite)
- Badigeonner le jambon du reste du glaçage et poursuivre la cuisson.

ÉTAPE 11
SALADE
préparation de la vinaigrette
- Déposer tous les ingrédients de la vinaigrette sauf l'huile dans le robot culinaire.
- Mélanger quelques secondes, puis incorporer l'huile en filet en continuant d'actionner l'appareil jusqu'à l'obtention d'un mélange homogène.
- Garder au frigo dans un contenant hermétique.

ÉTAPE 12
SALADE
Montage
- Mélanger le radicchio, la roquette et les crevettes dans un bol, et réserver au frigo.

ÉTAPE 13
JAMBON
fin de la cuisson et entreposage
- Retirer le jambon du four, laisser refroidir et entreposer au frigo dans un plat hermétiquement fermé.
- Réserver le bouillon de cuisson pour préparer la sauce liée pour le tilapia.

La conservation: 5 jours

Le jour J: Réchauffer doucement à la poêle, au four ou au micro-ondes. Servir avec les légumes braisés et une salade.

FRITTATA AU JAMBON GLACÉ

ÉTAPE 14

TILAPIA

préparation de la sauce liée

- Verser le jus de cuisson du jambon dans une casserole.
- Porter à ébullition et épaissir avec la fécule de maïs délayée dans un peu d'eau froide, en remuant jusqu'à consistance désirée.

ÉTAPE 15

HACHIS PARMENTIER

préparation de l'eau pour la cuisson des pommes de terre

- Faire bouillir de l'eau salée dans une casserole.

ÉTAPE 16

TILAPIA

préparation et cuisson

- Couper le poivron en julienne.
- Déposer les filets de poisson dans un plat allant au four préalablement huilé.
- Badigeonner de pesto, puis ajouter les pétoncles, les canneberges, le poivron et la sauce liée; saler et poivrer.
- Couvrir d'un papier d'aluminium et cuire au four de 10 à 15 minutes à 375 °F (190 °C).

ÉTAPE 17

SOUPE

fin de la cuisson et entreposage

- Retirer la casserole du feu, laisser refroidir et entreposer au frigo dans un plat hermétiquement fermé.

La conservation: 5 jours

Le jour J: Réchauffer doucement au micro-ondes ou sur la cuisinière à feu moyen-doux.

ÉTAPE 18

HACHIS PARMENTIER

cuisson des pommes de terre

- Peler les pommes de terre, les couper en 4 et les plonger dans l'eau salée.
- Cuire environ 30 minutes où jusqu'à ce qu'elles soient bien cuites.

ÉTAPE 19

FRITTATA

préparation des œufs et de la garniture

- Dans un grand bol, battre les œufs avec la crème; saler et poivrer.
- Couper l'avocat et le jambon; ciseler le basilic et râper le gruyère. Mélanger ces 4 ingrédients dans un autre bol avec 3/4 tasse (180 ml) de légumes braisés.

ÉTAPE 20

FRITTATA

cuisson

- Dans une grande poêle allant au four, chauffer l'huile à feu moyen.
- Verser le mélange d'œufs et de crème, et laisser cuire 2 ou 3 minutes pour faire prendre le dessous de la frittata sans plus.
- Déposer uniformément la garniture sur le dessus et terminer la cuisson au four 20 minutes, à 375 °F (190 °C).

ÉTAPE 21

TILAPIA

fin de la cuisson et entreposage

- Retirer le plat du four, laisser refroidir et entreposer au frigo dans un plat hermétiquement fermé.

La conservation: 2 jours

Le jour J: Réchauffer doucement au micro-ondes ou à la poêle.

ÉTAPE 22

HACHIS PARMENTIER
préparation de la purée de pommes de terre
- Râper le fromage.
- Le faire chauffer au micro-ondes avec la crème et le beurre.
- Égoutter les pommes de terre, les réduire en purée et incorporer la crème chaude, le beurre fondu et le fromage râpé. Saler et poivrer au goût.

ÉTAPE 23

FRITTATA
fin de la cuisson
- Sortir la poêle du four, laisser refroidir et entreposer au frigo dans un plat hermétiquement fermé.

La conservation: 2 jours

Le jour J: Réchauffer doucement au micro-ondes ou à la poêle.

ÉTAPE 24

HACHIS PARMENTIER
montage et cuisson
- Réduire la température du four à 350 °F (180 °C).
- Couper le jambon.

- Dans un plat beurré allant au four, alterner le jambon, les légumes braisés et les pommes de terre.
- Cuire au four 30 minutes.

ÉTAPE 25

SALADE
fin du montage et entreposage
- Incorporer parfaitement l'orge épicé au mélange laitues-crevettes.
- Entreposer au frigo dans un plat hermétiquement fermé.

La conservation: 5 jours

Le jour J: Ajouter la vinaigrette juste avant de servir.

ÉTAPE 26

HACHIS PARMENTIER
fin de la cuisson et entreposage
- Sortir le plat du four et laisser refroidir.
- Emballer hermétiquement et entreposer au frigo.

La conservation: 5 jours. On peut aussi le congeler.

Le jour J: Réchauffer 15 minutes au four à 350 °F (180 °C) ou au micro-ondes.

Repérer vos recettes préférées

liste d'épicerie de la semaine 3 ☑

Fruits et légumes

3	oignons
4	branches de céleri
1	avocat
1	poivron rouge
2	poivrons jaunes
3	carottes
4	échalotes françaises
2 lb (1 kg)	pommes de terre jaunes (une douzaine)
1	rabiole (petit navet)
3 tasses (750 ml)	radicchio
2 tasses (500 ml)	roquette
2	gousses d'ail
3 tasses (750 ml)	petits pois surgelés
3 tasses (750 ml)	maïs surgelé
1	citron
3 c. à soupe (45 ml)	canneberges séchées sucrées

Œufs et produits laitiers

8	œufs
3 ½ oz (100 g)	fromage gruyère
2 ½ oz (75 g)	fromage Monterey Jack
⅔ tasse (160 ml)	beurre
1 ½ tasse (375 ml)	crème à cuisson (15 %)

Viandes, poissons et fruits de mer

7 lb (3,5 kg)	jambon toupie
4	filets de tilapia d'environ 5 oz (150 g) chacun
8 oz (250 g)	pétoncles de baie (petits)
1 lb (500 g)	crevettes nordiques, cuites et décortiquées

Herbes, épices, sauces et condiments

10	feuilles de basilic
2	tiges d'aneth
1 c. à thé (5 ml)	mélange d'épices italiennes
1 pincée	poivre de Cayenne
1 c. à thé (5 ml)	cannelle
2 c. à soupe (30 ml)	moutarde de Meaux
2 c. à soupe (30 ml)	moutarde sèche
2 c. à soupe (30 ml)	pesto de basilic
1 c. à soupe (15 ml)	câpres
1 c. à soupe (15 ml)	gingembre frais

Bouillons, huiles et vinaigres

4 tasses (1 L)	bouillon de bœuf
4 tasses (1 L)	bouillon de poulet
4 tasses (1 L)	bouillon de légumes
1 c. à soupe (15 ml)	concentré liquide de bœuf
¼ tasse (60 ml)	concentré liquide de poulet
2 c. à soupe (30 ml)	concentré liquide de légumes
1 ¼ tasse (310 ml)	huile de canola ou de tournesol
½ tasse (125 ml)	huile d'olive
3 c. à soupe (45 ml)	vinaigre de cidre de pomme ou de vin

Riz, pains, pâtes et céréales

2 tasses (500 ml)	orge perlé

Fonds de cuisine

½ tasse (125 ml)	cassonade
2 c. à soupe (30 ml)	miel
¼ tasse (60 ml)	fécule de maïs
	sel et poivre en quantité suffisante

Divers

⅔ tasse (160 ml)	marmelade d'oranges

4

Au menu cette semaine

liste des ingrédients pour chaque repas

COURGETTES ET POIVRONS GRILLÉS AU FOUR

Les ingrédients

8	poivrons de différentes couleurs coupés en lanières
6	courgettes moyennes coupées en lanières dans le sens de la longueur
⅓ tasse (80 ml)	huile d'olive
½ tasse (125 ml)	fromage parmesan râpé
	sel et poivre, au goût

Le temps nécessaire: 10 minutes de préparation + 10 minutes de cuisson

 Nécessaire pour la salade de saumon, la lasagne, les quiches et les tortillas

SALADE DE SAUMON ET DE RIZ SAUVAGE À L'ORANGE

Les ingrédients

2 tasses (500 ml)	riz sauvage
1 lb (500 g)	filets de saumon frais
1 tasse (250 ml)	courgettes et poivrons grillés (voir recette)

Vinaigrette à l'orange

1 tasse (250 ml)	jus d'orange
3 c. à soupe (45 ml)	vinaigre de riz
3	gousses d'ail hachées
2	échalotes françaises hachées
1 c. à soupe (15 ml)	gingembre frais haché
2 c. à soupe (30 ml)	moutarde de Dijon
¼ tasse (60 ml)	miel
1 c. à thé (5 ml)	sel
¼ tasse (60 ml)	huile de sésame grillé

Le temps nécessaire: 10 minutes de préparation + 60 minutes de cuisson

MÉLANGE DE FRUITS ET LÉGUMES

1	concombre coupé en dés
1	pomme coupée en dés
½ tasse (125 ml)	raisins rouges sans pépins coupés en 2

Le temps nécessaire: 10 minutes de préparation + 60 minutes de cuisson

POITRINES DE POULET FARCIES

Les ingrédients

1	gros oignon tranché en rondelles
2	poitrines de poulet entières désossées d'environ 1 lb (500 g) chacune
2 c. à soupe (30 ml)	concentré liquide de poulet
¾ tasse (180 ml)	bouillon de poulet

Farce

½ lb (250 g)	agneau haché (prélevé sur la quantité de viande du chili avant cuisson)
½ tasse (125 ml)	riz sauvage
8	tomates séchées dans l'huile hachées finement
⅓ tasse (80 ml)	maïs surgelé
⅓ tasse (80 ml)	fromage ricotta
2 c. à soupe (30 ml)	fromage parmesan frais râpé
	sel et poivre, au goût

Le temps nécessaire: 10 minutes de préparation + 30 minutes de cuisson

CHILI CON CARNE

Les ingrédients

⅓ tasse (80 ml)	huile de canola ou de tournesol
2	poivrons (couleur au choix) coupés en petits dés
1	courgette moyenne coupée en petits dés
2	oignons hachés finement
1 ½ tasse (375 ml)	maïs surgelé
1 ½ tasse (375 ml)	légumineuses mélangées en conserve
4 lb (2 kg)	agneau haché; en réserver environ ½ lb (250 g) pour les poitrines farcies
1 c. à thé (5 ml)	coriandre moulue
½ c. à thé (2 ml)	cumin moulu
1 pincée	poivre de Cayenne

3 c. à soupe (45 ml)	concentré liquide de bœuf
1 boîte de 28 oz (796 ml)	tomates aux herbes italiennes en dés
2 c. à soupe (30 ml)	miel (ou sirop d'érable)
	sel et poivre, au goût

Le temps nécessaire: 10 minutes de préparation + 10 minutes de cuisson

 Nécessaire pour la lasagne, les tortillas et en accompagnement

LASAGNE D'AGNEAU

Les ingrédients

1 boîte de 1 lb (500 g)	lasagnes
5 tasses (1,25 L)	chili con carne bien égoutté (voir recette)
3 c. à soupe (45 ml)	huile de canola ou de tournesol
2 c. à soupe (30 ml)	beurre
2 c. à soupe (30 ml)	farine
1 tasse (250 ml)	fromage ricotta
2 tasses (500 ml)	courgettes et poivrons grillés (voir recette)
1 tasse (250 ml)	fromage parmesan frais râpé (ou cheddar)
	sel et poivre, au goût

QUICHES AU SAUMON, AUX RAISINS ET AUX LÉGUMES GRILLÉS

Les ingrédients

1 lb (500 g)	filets de saumon frais
2	fonds de tarte congelés
5	gros œufs
2 tasses (500 ml)	crème à cuisson (15 %) ou lait
1 pincée	piment de Cayenne
½ tasse (125 ml)	raisins rouges sans pépins, coupés en 2
1 tasse (250 ml)	courgettes et poivrons grillés (voir recette)
1 tasse (250 ml)	fromage cheddar râpé
	sel et poivre, au goût

Le temps nécessaire: 5 minutes de préparation + 45 minutes de cuisson

TORTILLAS D'AGNEAU AU PARFUM DE CORIANDRE

Les ingrédients

8	tortillas de grandeur moyenne
2 tasses (500 ml)	courgettes et poivrons grillés (voir recette)
2	tomates coupées en dés
1	oignon haché finement
1 tasse (250 ml)	cheddar râpé
1	laitue romaine
1 tasse (250 ml)	chili con carne égoutté (voir recette)

Le temps nécessaire: 15 minutes de préparation + 20 minutes de cuisson

La note du chef

Quiches au saumon, aux raisins et aux légumes grillés

La quiche, une tarte garnie d'un mélange d'œufs battus, de crème et de lardons, nous vient d'Alsace-Lorraine, région du nord-est de la France où elle apparut, dit-on, vers la fin du XVIe siècle.

Mes tantes et tontons qui habitent l'Alsace me pardonneront sûrement d'avoir osé changer leur mets national en y ajoutant du saumon et des légumes. Banal, vous me direz! Qui ne connaît pas les quiches aux épinards? Alors, laissez-moi vous surprendre. Que diriez-vous d'y ajouter des raisins? Pas des raisins secs mais des raisins frais! À la fois sucrés et un peu acidulés, ils donnent à ma quiche un goût unique. Vous m'en donnerez des nouvelles!

La semaine 4, étape par étape...

ÉTAPE 1
SALADE ET POITRINES FARCIES
préparation de l'eau pour le riz sauvage
- Faire bouillir de l'eau salée dans une casserole.

ÉTAPE 2
COURGETTES ET POIVRONS GRILLÉS
préparation et cuisson
- Préchauffer le four à 375 °F (190 °C).
- Couper les poivrons et les courgettes en lanières, et râper le parmesan. Huiler une grande plaque allant au four et y déposer les légumes. Verser le reste de l'huile d'olive sur les légumes et saupoudrer de parmesan; saler et poivrer. Cuire au four environ 10 minutes.

POITRINES DE POULET FARCIES

ÉTAPE 3
SALADE ET POITRINES FARCIES
cuisson du riz
- Mettre le riz sauvage à cuire dans l'eau bouillante, et laisser mijoter à couvert pendant environ 50 minutes ou jusqu'à ce que le grain de riz éclate. Laisser refroidir, garder dans un plat hermétiquement fermé allant au frigo.

ÉTAPE 4
LASAGNE
préparation de l'eau et cuisson des pâtes
- Faire bouillir de l'eau salée dans un grand chaudron.

ÉTAPE 5
CHILI
préparation et cuisson des légumes et des légumineuses
- Couper les poivrons, la courgette et les oignons. Dans une grande casserole, les faire étuver dans la moitié de la quantité d'huile prévue, avec les légumineuses et le maïs, pendant environ 10 minutes. Saler et poivrer. Retirer du feu et réserver.

ÉTAPE 6
CHILI
cuisson de l'agneau et montage
- Dans une autre casserole, faire revenir l'agneau haché dans le reste de l'huile; ne pas oublier de réserver au préalable 1/2 lb (250 g) de viande. Saler et poivrer au goût. Une fois la viande colorée, incorporer la coriandre, le cumin, le poivre de Cayenne et le bouillon concentré.
- Ajouter les légumes étuvés, les tomates et le miel. Laisser mijoter à feu vif environ 5 minutes.

ÉTAPE 7
LASAGNE
cuisson des pâtes
- Plonger les pâtes dans l'eau bouillante et faire cuire 12 minutes ou tel qu'indiqué sur l'emballage.

ÉTAPE 8
COURGETTES ET POIVRONS GRILLÉS
fin de la cuisson et entreposage
- Retirer les légumes du four. Laisser refroidir et entreposer au frigo dans un plat hermétiquement fermé.

TORTILLAS D'AGNEAU AU
PARFUM DE CORIANDRE

La conservation: 4 jours

Le jour J: Réchauffer doucement à la poêle
ou au micro-ondes.

ÉTAPE 9
CHILI
fin de la cuisson et entreposage
- Retirer la casserole du feu. Avec une cuillère percée, en prélever 5 tasses (1,25 L) et réserver pour la lasagne. Laisser refroidir le reste et l'entreposer au frigo dans un plat hermétiquement fermé.

La conservation: 7 jours. On peut aussi le
congeler.

Le jour J: Réchauffer doucement à la poêle
ou au micro-ondes, et servir en
guise d'accompagnement et
dans les tortillas.

ÉTAPE 10
LASAGNE
**préparation du mélange
et fin de la cuisson des pâtes**
- Dans l'huile et le beurre, faire revenir le chili, puis saupoudrer de farine en remuant constamment. Ajouter la ricotta; saler, poivrer et mélanger parfaitement.
- Égoutter les pâtes.

ÉTAPE 11
LASAGNE
montage et cuisson
- Étendre une mince couche du mélange de chili dans un plat de pyrex (3 L). Couvrir de pâtes, puis de courgettes et de poivrons grillés. Napper de la moitié de chili restant. Ajouter une deuxième rangée de pâtes, puis le reste du mélange.
- Saupoudrer de parmesan. Faire cuire au four 20 minutes à 375 °F (190 °C).

ÉTAPE 12
SALADE ET QUICHES
cuisson du saumon
- Faire pocher le poisson dans une casserole d'eau salée environ 5 minutes.

ÉTAPE 13
POITRINES FARCIES
préparation de la farce
- Hacher finement les tomates séchées et râper le parmesan. Les ajouter à l'agneau avec 1 tasse (250 ml) du riz sauvage déjà cuit, le maïs et la ricotta.
- Saler et poivrer, bien mélanger et réserver.

ÉTAPE 14
LASAGNE
fin de la cuisson et entreposage
- Sortir le plat du four. Réduire la température à 350 °F (180 °C) en prévision de la cuisson des poitrines farcies et des quiches. Laisser refroidir, couvrir d'une pellicule plastique et entreposer au frigo.

La conservation: 5 jours. On peut aussi la
congeler.

Le jour J: Réchauffer 15 minutes au four à
375 °F (190 °F) ou jusqu'à ce que
le centre soit chaud.

LASAGNE D'AGNEAU

ÉTAPE 15
SALADE ET QUICHES
fin de la cuisson du saumon
- Retirer le saumon du feu; bien l'égoutter, l'émietter et le réserver.

ÉTAPE 16
POITRINES FARCIES
montage et cuisson
- Trancher l'oignon en rondelles et le déposer au fond d'un plat de type pyrex (3 L).
- Farcir les poitrines de poulet, rouler et maintenir avec une ficelle. Déposer sur les tranches d'oignon de façon à ce que les poitrines ne touchent pas au fond du plat. Badigeonner de concentré, puis verser le bouillon de poulet dans le fond du plat.
- Saler et poivrer; cuire au four environ 30 minutes à 375 °F (190 °C).

ÉTAPE 17
QUICHES
préparation et cuisson
- Râper le cheddar. Fouetter les œufs avec la crème, le piment de Cayenne, le sel et le poivre. Ajouter les raisins, les courgettes et les poivrons grillés.
- Couvrir 2 assiettes à tarte des fonds de tarte et y déposer la moitié du saumon cuit. Verser le mélange d'œufs et de crème, et couvrir de cheddar râpé. Cuire au four environ 45 minutes à 375 °F (190 °C).

ÉTAPE 18
SALADE
préparation de la vinaigrette
- Faire bouillir le jus d'orange et le vinaigre de riz au micro-ondes.
- Dans le bol du robot culinaire, hacher l'ail, les échalotes et le gingembre.
- Ajouter la moutarde, puis le mélange bouillant (jus d'orange-vinaigre de riz) en filet, le miel, le sel et l'huile. Actionner l'appareil pendant 1 minute encore.
- Laisser refroidir et réfrigérer dans un plat hermétiquement fermé.

ÉTAPE 19
SALADE
montage et entreposage
Couper les fruits et les légumes. Y ajouter le saumon, le reste du riz sauvage cuit, et les courgettes et poivrons grillés. Entreposer au frigo dans un plat hermétiquement fermé.

La conservation: 3 jours

Le jour J: Juste au moment de servir, ajouter la vinaigrette.

ÉTAPE 20
QUICHES
fin de la cuisson et entreposage
- Sortir les quiches du four. Laisser refroidir, recouvrir d'une pellicule plastique et entreposer au frigo.

La conservation: 3 jours. On peut aussi les congeler.

Le jour J: Réchauffer 15 minutes au four à 350 °F (180 °C).

ÉTAPE 21
POITRINES FARCIES
fin de la cuisson et entreposage
- Sortir le plat du four. Laisser refroidir et entreposer au frigo dans un plat hermétiquement fermé.

La conservation: 5 jours. On peut aussi les congeler.

Le jour J: Réchauffer 20 minutes au four à 325 °F (170 °C).

ÉTAPE 22
TORTILLAS
préparation et montage
- Réchauffer doucement le chili dans une casserole ou au micro-ondes.
- Pendant ce temps, couper les tomates, l'oignon et quelques feuilles de laitue; les mettre dans de petits plats séparés. Râper le cheddar. Garnir chaque tortilla d'un peu de courgettes et poivrons grillés, de chili, de tomates, d'oignon, de laitue et de fromage râpé.

Le jour J: Préparer juste avant de servir.

Repérer vos recettes préférées

COURGETTES ET POIVRONS GRILLÉS AU FOUR	étapes 2 et 8
SALADE DE SAUMON ET DE RIZ SAUVAGE À L'ORANGE	étapes 1, 3, 12, 15, 18 et 19
POITRINES DE POULET FARCIES	étapes 13, 16 et 21
LASAGNE D'AGNEAU	étapes 4, 7, 10, 11 et 14
QUICHES AU SAUMON, AUX RAISINS ET AUX LÉGUMES GRILLÉS	étapes 12, 15, 17 et 20
TORTILLAS D'AGNEAU AU PARFUM DE CORIANDRE	étapes 5, 6, 9 et 22
CHILI CON CARNE	étapes 5, 6 et 9

liste d'épicerie de la semaine 4 ☑

Fruits et légumes

4	oignons
1	concombre
10	poivrons (couleur au choix)
3	gousses d'ail
2	tomates
1	laitue romaine
7	courgettes
2	échalotes françaises
1	pomme
1 tasse (250 ml)	raisins rouges sans pépins
2 tasses (500 ml)	maïs surgelé
1 boîte de 28 oz (796 ml)	tomates italiennes en dés
8	tomates séchées dans l'huile
1 tasse (250 ml)	jus d'orange

Viandes, poissons et fruits de mer

4 lb (2 kg)	agneau haché
2	poitrines de poulet entières désossées d'environ 1 lb (500 g) chacune
2 lb (1 kg)	filets de saumon frais

Herbes, épices, sauces et condiments

2 c. à soupe (30 ml)	moutarde de Dijon
½ c. à thé (2 ml)	cumin moulu
1 c. à thé (5 ml)	coriandre moulue
1 c. à thé (5 ml)	poivre de Cayenne
1 c. à soupe (15 ml)	gingembre frais

Œufs et produits laitiers

5	gros œufs
7 oz (200 g)	fromage parmesan frais
7 oz (200 g)	fromage cheddar
4 oz (130 g)	fromage ricotta
2 c. à soupe (30 ml)	beurre
2 tasses (500 ml)	crème à cuisson (15 %)

Bouillons, huiles et vinaigres

¾ tasse (180 ml)	bouillon de poulet
2 c. à soupe (30 ml)	concentré liquide de poulet
3 c. à soupe (45 ml)	concentré liquide de bœuf
½ tasse (125 ml)	huile de canola ou de tournesol
½ tasse (125 ml)	huile d'olive
¼ tasse (60 ml)	huile de sésame grillé
3 c. à soupe (45 ml)	vinaigre de riz

Riz, pains, pâtes et céréales

2 ½ tasses (625 ml)	riz sauvage
8	tortillas de grandeur moyenne
1 boîte de 1 lb (500 g)	lasagnes

Noix, graines et légumineuses

1 ½ tasse (375 ml)	légumineuses mélangées en conserve

Fonds de cuisine

½ tasse (125 ml)	miel
2 c. à soupe (30 ml)	farine
	sel et poivre en quantité suffisante

Divers

2	fonds de tarte congelés

1
2
3
4
5
6
7
8
9
10
11
12
13
14
15
16
17
18
19
20

À ceux qui viendront après nous

Le plus bel héritage que
nous puissions léguer à nos enfants
est l'amour du beau et du vrai.
N'est-ce pas là que le bonheur réside?

5

Au menu cette semaine

1
2
3
4
5
6
7
8
9
10
11
12
13
14
15
16
17
18
19
20

liste des ingrédients pour chaque repas

LÉGUMES À LA CHINOISE

Les ingrédients

¹⁄₃ tasse (80 ml)	huile de sésame pure
6	gousses d'ail hachées
½ c. à thé (2 ml)	piments séchés
1 c. à soupe (15 ml)	gingembre frais haché
1 tasse (250 ml)	bouillon de poulet
¼ tasse (60 ml)	sauce soya légère
2 c. à soupe (30 ml)	sauce aux huîtres
2 tasses (500 ml)	pois mange-tout coupés en biseau
3 tasses (750 ml)	chou chinois coupé en biseau
3 tasses (750 ml)	germes de haricots (fèves germées)
1	tête de brocoli coupée en bouquets
2	oignons moyens coupés finement
4	branches de céleri coupées en biseau
2	carottes coupées en biseau
1 boîte de 14 oz (398 ml)	petits épis de maïs
	sel et poivre, au goût

Le temps nécessaire: 15 minutes de préparation + 8 minutes de cuisson

 Nécessaire pour le sauté et la soupe-repas, et en accompagnement pour les pains de viande.

PAINS DE VIANDE À L'ANANAS

Les ingrédients

1 kg (2 lb)	porc haché
½ tasse (125 ml)	ananas en dés (en conserve), égoutté
1 c. à soupe (15 ml)	cumin moulu
1 c. à soupe (15 ml)	gingembre moulu
½ c. à thé (2 ml)	muscade
1 c. à soupe (15 ml)	graines de fenouil (ou d'anis)
3 c. à soupe (45 ml)	fromage parmesan frais râpé
3 c. à soupe (45 ml)	chapelure italienne
½ tasse (125 ml)	crème à cuisson (15 %)
4	gros œufs battus
2 c. à soupe (30 ml)	concentré liquide de poulet
1 c. à soupe (15 ml)	sel
¼	lime (le zeste)
	beurre en quantité suffisante pour graisser les moules

Le temps nécessaire: 5 minutes de préparation + 1 heure de cuisson

SAUTÉ DE PORC AUX CREVETTES ET AUX AMANDES

Les ingrédients

¼ tasse (60 ml)	huile de sésame pure
1 ½ lb (750 g)	filets de porc coupés en cubes
1 c. à soupe (15 ml)	gingembre frais haché
½ c. à thé (2 ml)	piments séchés
½ tasse (125 ml)	pruneaux dénoyautés
¾ tasse (180 ml)	amandes fumées
1 tasse (250 ml)	légumes à la chinoise (voir recette)
8 oz (250 g)	crevettes nordiques, cuites et décortiquées
1 c. à thé (5 ml)	poivre de Sichuan moulu [ou ½ c. à thé (2 ml) de mélange de 5 poivres]
	sel, au goût

Le temps nécessaire: 10 minutes
de préparation + 10 minutes de cuisson

GRATIN DE CHEVEUX D'ANGE TERRE ET MER

Les ingrédients

1 boîte de 1 lb (500 g)	cheveux d'ange
¼ tasse (60 ml)	huile de canola ou de tournesol
2	demi-poitrines de poulet marinées (voir recette), coupées en languettes
8 oz (250 g)	crevettes nordiques, cuites et décortiquées
½ tasse (125 ml)	ananas en dés (en conserve)
4 tasses (1 L)	jeunes pousses d'épinards
1	poivron coupé en dés
1	oignon moyen coupé en dés

Béchamel

2 tasses (500 ml)	crème à cuisson (15 %)
2 tasses (500 ml)	jus de tomate
½ c. à thé (2 ml)	poivre de Cayenne
1 c. à soupe (15 ml)	miel
⅓ tasse (80 ml)	beurre
⅓ tasse (80 ml)	farine
1 ½ tasse (375 ml)	fromage parmesan frais râpé
1 tasse (250 ml)	fromage provolone râpé
	sel et poivre, au goût

Le temps nécessaire: 20 minutes
de préparation + 30 minutes de cuisson

SOUPE-REPAS AUX CREVETTES ET AU TOFU

Les ingrédients

6 tasses (1,5 L)	bouillon de poulet
2 c. à soupe (30 ml)	concentré liquide de poulet
2	demi-poitrines de poulet marinées (voir recette), coupées en languettes
2 tasses (500 ml)	légumes à la chinoise (voir recette)
1 ½ tasse (375 ml)	tofu mi-ferme
1 lb (500 g)	crevettes nordiques, cuites et décortiquées
	sel et poivre, au goût

Le temps nécessaire: 5 minutes
de préparation + 5 minutes de cuisson

PIZZAS DE POULET BALSAMIQUE

Les ingrédients

¼ tasse (60 ml)	pesto de tomates séchées (ou pesto de basilic)
½ tasse (125 ml)	fromage de chèvre à pâte molle
4	pains pitas de grandeur moyenne
2	demi-poitrines de poulet marinées (voir recette), coupées en languettes
1 tasse (250 ml)	ananas en dés (en conserve)
2 ½ tasses (750 ml)	fromage mozzarella râpé
1 tasse (250 ml)	fromage parmesan frais râpé
1	oignon moyen coupé en fines rondelles
1	poivron (couleur au choix) coupé en dés

Le temps nécessaire: **10 minutes**
de préparation + **10 minutes** de cuisson

POITRINES DE POULET MARINÉES

Les ingrédients

6	demi-poitrines de poulet désossées

Marinade

⅔ tasse (160 ml)	vinaigre balsamique
⅓ tasse (80 ml)	sirop de maïs
1 c. à soupe (15 ml)	fumée liquide (au rayon des sauces)
¼ tasse (60 ml)	moutarde préparée
¼ tasse (60 ml)	ketchup
1 c. à soupe (15 ml)	gingembre moulu
1 c. à thé (5 ml)	poudre d'ail
2 c. à soupe (30 ml)	sauce soya légère
2 c. à soupe (30 ml)	concentré liquide de poulet

Le temps nécessaire: **10 minutes**
de préparation + **10 minutes** de cuisson

 Nécessaire pour le gratin, la soupe et les pizzas.

La note du chef

Gratin de cheveux d'ange terre et mer

Voici la recette idéale pour utiliser les pâtes que vous aurez fait cuire en trop. Je vous propose un gratin au poulet avec, entre autres, crevettes, ananas et poivron, mais vous pouvez y mettre ce que vous avez sous la main. Une bonne façon de «passer» vos restes!

Et si vous regardez d'un mauvais œil les calories en trop, cette recette est pour vous. Mon gratin est accompagné d'une béchamel toute légère où j'ai remplacé une partie de la crème par du jus de tomate. C'est joli et goûteux, et vous n'aurez aucun remords d'en reprendre.

1
2
3
4
5
6
7
8
9
10
11
12
13
14
15
16
17
18
19
20

La semaine 5, étape par étape...

ÉTAPE 1
GRATIN, SOUPE ET PIZZAS
préparation des poitrines marinées
- Mélanger tous les ingrédients de la marinade.
- Verser dans un sac à congélation, ajouter les poitrines de poulet et fermer parfaitement.
- Laisser mariner au frigo au moins 30 minutes.

ÉTAPE 2
LÉGUMES À LA CHINOISE
préparation et cuisson
- Couper tous les légumes.
- Verser l'huile dans une poêle ou un wok, et faire colorer l'ail, les piments séchés et le gingembre.
- Ajouter le bouillon de poulet, la sauce soya, la sauce aux huîtres et le reste des ingrédients.
- Cuire à couvert 5 minutes (les légumes doivent rester croquants).
- Prélever 1 tasse (250 ml) pour le sauté, laisser refroidir le reste et entreposer au frigo dans un plat hermétiquement fermé.

La conservation: 4 jours

Le jour J: Réchauffer doucement au micro-ondes et servir en accompagnement des pains de viande.

ÉTAPE 3
GRATIN
préparation de l'eau pour la cuisson des cheveux d'ange
- Faire bouillir de l'eau salée dans une casserole.

ÉTAPE 4
PAINS DE VIANDE
préparation et cuisson
- Préchauffer le four à 375 °F (190 °C).
- Râper le parmesan et le zeste de lime.

PIZZAS DE POULET BALSAMIQUE

- Égoutter l'ananas et battre les œufs.
- Mélanger ces 4 ingrédients avec le porc haché. Ajouter les autres ingrédients de la recette.
- Déposer la préparation dans 2 moules à pain bien beurrés et cuire 1 heure au four.

ÉTAPE 5
GRATIN
cuisson des cheveux d'ange
- Plonger les pâtes dans l'eau bouillante et cuire environ 5 minutes ou tel qu'indiqué sur l'emballage.

ÉTAPE 6
SAUTÉ
préparation et cuisson
- Couper le porc et hacher le gingembre.
- Faire saisir à feu vif dans l'huile de sésame.
- Ajouter les piments séchés, les pruneaux, les amandes et les légumes à la chinoise.
- Mélanger et continuer la cuisson 2 minutes.

ÉTAPE 7
GRATIN
fin de la cuisson des cheveux d'ange
- Égoutter les pâtes et les remettre dans la casserole. Verser l'huile de canola, bien mélanger et réserver.

ÉTAPE 8
SAUTÉ
suite et fin de la cuisson
- Ajouter les crevettes, le sel et le poivre. Poursuivre la cuisson 1 minute.
- Retirer du feu, laisser refroidir et entreposer au frigo dans un plat hermétiquement fermé.

La conservation: 5 jours

Le jour J: Réchauffer doucement à la poêle ou au micro-ondes.

LÉGUMES À
LA CHINOISE

ÉTAPE 9
GRATIN, SOUPE ET PIZZAS
cuisson des poitrines marinées
- Déposer le poulet dans un plat de pyrex (2 L) et faire cuire 20 minutes au four à 375 °F (190 °C).
- Récupérer la marinade et la faire bouillir environ 5 minutes pour la stériliser. Servez-la en accompagnement avec certaines viandes.

ÉTAPE 10
GRATIN
préparation de la béchamel
- Dans un bol, mélanger la crème, le jus de tomate, le poivre de Cayenne, le miel, le sel et le poivre; réserver.
- Faire fondre le beurre dans une casserole.
- Ajouter la farine en pluie et cuire de 2 à 3 minutes jusqu'à l'obtention d'une boule.
- Incorporer graduellement la préparation de crème jusqu'à l'obtention d'une sauce onctueuse.
- Retirer du feu et ajouter peu à peu les 2 fromages; réserver.

ÉTAPE 11
GRATIN, SOUPE ET PIZZAS
fin de la cuisson des poitrines marinées
- Sortir le plat du four. Couper le poulet en fines languettes et réserver.

1
2
3
4
5
6
7
8
9
10
11
12
13
14
15
16
17
18
19
20

ÉTAPE 12
GRATIN
montage et cuisson
- Tailler le poivron et l'oignon en dés.
- Verser un peu de béchamel dans le fond d'un plat de pyrex. Ajouter la moitié des cheveux d'ange, le tiers des languettes de poulet, les crevettes, les ananas et les épinards.
- Recouvrir du reste des cheveux d'ange, verser la béchamel et parsemer de poivron et d'oignon.
- Cuire au four 30 minutes à 375 °F (190 °C).

ÉTAPE 13
SOUPE
préparation et cuisson
- Verser le bouillon et le concentré de poulet dans une casserole, et porter à ébullition.
- Ajouter la moitié des languettes de poulet restantes, les légumes à la chinoise et le tofu.
- Cuire 2 minutes, puis ajouter les crevettes; saler, poivrer et retirer du feu.
- Laisser refroidir avant d'entreposer

SOUPE-REPAS AUX CREVETTES ET AU TOFU

au frigo dans un plat hermétiquement fermé.

La conservation: 4 jours

Le jour J: Réchauffer sur la cuisinière à feu doux.

ÉTAPE 14
PIZZAS
préparation et cuisson
- Râper les fromages.
- Couper les légumes.
- Mélanger le pesto et le fromage de chèvre, puis en tartiner les pitas.
- Ajouter le reste du poulet et les ananas.
- Couvrir de mozzarella et de parmesan, puis ajouter l'oignon et le poivron.
- Cuire 10 minutes au four à 375 °F (190 °C).

Vous pouvez congeler ces pizzas, mais je vous recommande plutôt de les préparer à la dernière minute, car il s'agit d'une recette vraiment rapide à faire!

Le jour J: Si congelées, réchauffer 15 minutes au four à 400 °F (200 °C).

ÉTAPE 15
PAINS DE VIANDE
fin de la cuisson et entreposage
- Sortir les moules du four et laisser refroidir.
- Emballer hermétiquement et entreposer au frigo.

La conservation: 7 jours

Le jour: Réchauffer 15 minutes au four à 375 °F (190 °C) ou au micro-ondes.

ÉTAPE 16
GRATIN
fin de la cuisson et entreposage
- Sortir le plat du four, laisser refroidir, emballer hermétiquement et entreposer au frigo.

La conservation: 7 jours

Le jour J: Réchauffer 15 minutes au four, à 375 °F (190 °C), ou au micro-ondes.

Repérer vos recettes préférées

liste d'épicerie de la semaine 5 ☑

Fruits et légumes

4	oignons
4	branches de céleri
2	carottes
2	poivrons (couleur au choix)
6	gousses d'ail
2 tasses (500 ml)	pois mange-tout
4 tasses (1 L)	jeunes pousses d'épinards
3 tasses (750 ml)	chou chinois
3 tasses (750 ml)	germes de haricots (fèves germées)
1	tête de brocoli
1 boîte de 14 oz (398 ml)	petits épis de maïs
2 tasses (500 ml)	jus de tomate (500 ml)
1	lime
½ tasse (125 ml)	pruneaux dénoyautés
2 tasses (500 ml)	ananas en dés en conserve

Œufs et produits laitiers

4	gros œufs
10 oz (285 g)	fromage parmesan frais
3 ½ (100 g)	fromage provolone
10 ½ oz (300 g)	fromage mozzarella
5 oz (150 g)	fromage de chèvre à pâte molle
⅓ tasse (80 ml)	beurre
2 ½ tasse (625 ml)	crème à cuisson (15 %)

Viandes, poissons et fruits de mer

1 ½ lb (750 g)	filets de porc
2 lb (1 kg)	porc haché
6	demi-poitrines de poulet désossées
2 lb (1 kg)	crevettes nordiques, cuites et décortiquées

Herbes, épices, sauces et condiments

2 c. à soupe (30 ml)	gingembre frais
2 c. à soupe (30 ml)	gingembre moulu
1 c. à thé (5 ml)	poudre d'ail
1 c. à soupe (15 ml)	cumin en moulu
½ c. à thé (2 ml)	muscade
1 c. à soupe (15 ml)	graines de fenouil (ou d'anis)
1 c. à thé (5 ml)	piments séchés
½ c. à thé (2 ml)	poivre de Cayenne
1 c. à thé (5 ml)	poivre de Sichuan moulu [ou ½ c. à thé (2 ml) de mélange de 5 poivres]
¼ tasse (60 ml)	pesto de tomates séchées
½ tasse (125 ml)	sauce soya légère
2 c. à soupe (30 ml)	sauce aux huîtres
¼ tasse (60 ml)	moutarde préparée
¼ tasse (60 ml)	ketchup
1 c. à soupe (15 ml)	fumée liquide

Bouillons, huiles et vinaigres

7 tasses (1,75 L)	bouillon de poulet
½ tasse (125 ml)	concentré liquide de poulet
¼ tasse (60 ml)	huile de canola ou de tournesol
⅔ tasse (160 ml)	huile de sésame pure
⅔ tasse (160 ml)	vinaigre balsamique

Riz, pains, pâtes et céréales

4	pains pitas de grandeur moyenne
3 c. à soupe (45 ml)	chapelure italienne
1 boîte de 1 lb (500 g)	cheveux d'ange

Noix, graines et légumineuses

¾ tasse (180 ml)	amandes fumées
1 ½ tasse (375)	tofu mi-ferme

Fonds de cuisine

1 c. à soupe (15 ml)	miel
⅓ tasse (80 ml)	sirop de maïs
⅓ tasse (80 ml)	farine
	sel et poivre en quantité suffisante

1
2
3
4
5
6
7
8
9
10
11
12
13
14
15
16
17
18
19
20

6

Au menu cette semaine

1

2

3

4

5

6

7

8

9

10

11

12

13

14

15

16

17

18

19

20

liste des ingrédients pour chaque repas

SOUPE-REPAS DE POISSON AUX PARFUMS D'ITALIE

Les ingrédients

¼ tasse (60 ml)	huile de canola ou de tournesol
1 c. à soupe (15 ml)	beurre
1	petit poireau finement haché
2	branches de céleri coupées en dés
1	petit bulbe de fenouil frais coupé en dés
4	gousses d'ail hachées
2	carottes coupées en dés
2	courgettes coupées en rondelles
½	orange (le zeste)
1 c. à thé (5 ml)	graines d'anis
2 c. à soupe (30 ml)	miel
4 tasses (1 L)	bouillon de légumes
3 c. à soupe (45 ml)	concentré liquide de légumes
1 ½ tasse (375 ml)	tomates italiennes en dés (en conserve)
1 ½ tasse (375 ml)	petites palourdes avec leur jus
½ tasse (125 ml)	risonis (pâtes en forme de riz) ou riz au choix
1 ½ lb (750 g)	pangasius ou tilapia (ou autre poisson blanc à chair ferme), coupé en dés
½ c. à thé (2 ml)	safran espagnol
	sel et poivre, au goût

Le temps nécessaire: 15 minutes de préparation + 20 minutes de cuisson

RISOTTO DE FRUITS DE MER ET CHORIZO

Les ingrédients

4 tasses (1 L)	bouillon de poulet
2 c. à soupe (30 ml)	concentré liquide de poulet
½ tasse (125 ml)	petites palourdes avec leur jus
¼ tasse (60 ml)	huile d'olive
1 ¾ tasse (430 ml)	riz arborio
1	petit poireau finement haché
6	gousses d'ail hachées
3	gros chapeaux de champignons portobellos coupés en cubes
½	orange (le zeste)
1 tasse (250 ml)	chorizo (ou saucisson sec) coupé en dés
1 c. à thé (5 ml)	curcuma
2 c. à soupe (30 ml)	miel
8 oz (250 g)	crevettes nordiques, cuites et décortiquées
4 oz (125 g)	pétoncles de baie (petits)

Le temps nécessaire: 15 minutes de préparation + environ 20 minutes de cuisson

CRÊPES FARCIES ET BÉCHAMEL DE FROMAGE DE CHÈVRE

Les ingrédients
Pâte à crêpes

2 c. à soupe (30 ml)	huile de canola ou de tournesol
3	gros œufs
1 ½ tasse (375 ml)	farine
2 tasses (500 ml)	lait tiède

Béchamel

¼ tasse (60 ml)	beurre
¼ tasse (60 ml)	farine
2 tasses (500 ml)	lait
¾ tasse (180 ml)	fromage de chèvre à pâte molle
2 c. à soupe (30 ml)	pesto de tomates séchées
1 c. à thé (5 ml)	mélange d'herbes italiennes
1 c. à thé (5 ml)	graines de fenouil
	sel et poivre, au goût

Garniture

1 tasse (250 ml)	ananas en dés (en conserve)
12	asperges moyennes
4	minces tranches de jambon blanc

Le temps nécessaire: 10 minutes de préparation + 10 minutes de cuisson

PENNINES AUX 3 FROMAGES ET AU CHORIZO

Les ingrédients

1 boîte de 1 lb (500 g)	de pennines
⅓ tasse (80 ml)	huile de canola ou de tournesol (pour les pâtes)
1 tasse (250 ml)	chorizo (ou saucisson sec) coupé en rondelles
3 c. à soupe (45 ml)	huile de canola ou de tournesol (pour la sauce)
2	oignons verts émincés
1 c. à thé (5 ml)	graines de fenouil
2 tasses (500 ml)	crème à cuisson (15 %)
3 c. à soupe (45 ml)	pesto de tomates séchées
¾ tasse (180 ml)	fromage de chèvre à pâte molle
1 ½ tasse (375 ml)	fromage provolone râpé
1 tasse (250 ml)	fromage parmesan frais râpé
12	asperges moyennes
8 oz (250 g)	crevettes nordiques, cuites et décortiquées
	sel et poivre, au goût

Le temps nécessaire: 10 minutes de préparation + 5 minutes de cuisson

SALADE-REPAS DE LA NOUVELLE-ORLÉANS

Les ingrédients

12	asperges moyennes
8 oz (250 g)	jambon blanc coupé en languettes
8 oz (250 g)	crevettes nordiques, cuites et décortiquées
2	cœurs de laitue romaine
1 tasse (250 ml)	ananas en dés (en conserve)
2 tasses (500 ml)	fromage Monterey Jack râpé
¾ tasse (180 ml)	croûtons à l'ail
	mayonnaise (voir recette)
4	gousses d'ail
2	échalotes françaises
2	gros œufs (les blancs seulement)
2 c. à soupe (30 ml)	vinaigre de cidre de pomme ou de vin
2 c. à soupe (30 ml)	moutarde de Dijon
1 c. à soupe (15 ml)	câpres
1 c. à thé (5 ml)	épices cajuns
2 tasses (500 ml)	huile de canola ou de tournesol
	sel et poivre, au goût

Le temps nécessaire:
10 minutes de préparation

La note du chef

À propos du chorizo

J'ai découvert le chorizo lors d'un voyage au Portugal.
Pourtant, cette saucisse sèche faite de porc, ou de porc
et de bœuf, relevée d'ail, de poivre, de piment rouge, de
paprika et d'anis est d'origine espagnole. Mais quelles que
soient ses origines, elle rehausse divinement
sauces, mijotés, paellas et pizzas.

1
2
3
4
5
6
7
8
9
10
11
12
13
14
15
16
17
18
19
20

La semaine 6, étape par étape...

SOUPE-REPAS
DE POISSON AUX
PARFUMS D'ITALIE

ÉTAPE 3

RISOTTO

préparation du bouillon de cuisson

- Dans une petite casserole, faire chauffer le bouillon et le concentré de poulet, les palourdes et leur jus.
- Amener à petite ébullition et réserver.

ÉTAPE 4

RISOTTO

préparation des légumes et du riz

- Couper les légumes.
- Râper le zeste d'orange.
- Faire chauffer l'huile dans une grande casserole, puis ajouter tous les légumes, le riz, le zeste et le chorizo.
- Bien mélanger et cuire environ 2 minutes à feu vif.
- Ajouter le miel et le curcuma.
- Incorporer graduellement le bouillon très chaud, une louche à la fois, en remuant (attendre qu'il soit presque complètement absorbé avant d'en rajouter).
- Juste avant de verser la dernière louche de bouillon, ajouter les pétoncles et les crevettes.
- Laisser refroidir et entreposer au frigo dans un plat hermétiquement fermé.

La conservation: 3 jours

Le jour J: Réchauffer doucement au micro-ondes.

ÉTAPE 1

SOUPE

cuisson des légumes

- Couper les légumes et le poisson.
- Râper le zeste d'orange.
- Mettre le beurre et l'huile dans une grande casserole. Y faire revenir le poireau, le céleri, le fenouil, l'ail, les carottes et les courgettes.
- Ajouter le zeste, les graines d'anis et le miel.
- Faire étuver environ 5 minutes.

ÉTAPE 2

SOUPE

cuisson (suite)

- Ajouter le bouillon et le concentré de légumes, les tomates italiennes, les palourdes avec leur jus et les pâtes. Saler, poivrer et laisser mijoter 15 minutes.

ÉTAPE 5

SOUPE

cuisson (suite)

- Ajouter le poisson et le safran, puis laisser frémir 5 minutes.

ÉTAPE 6

CRÊPES, PENNINES ET SALADE

préparation de l'eau pour la cuisson des pâtes et le blanchiment des asperges

• Faire bouillir de l'eau salée dans 2 casseroles.

ÉTAPE 7
CRÊPES, PENNINES ET SALADE
blanchiment des asperges
• Couper et jeter les pieds des asperges.
• Faire blanchir celles-ci 3 minutes.

ÉTAPE 8
PENNINES
cuisson des pâtes
• Plonger les pâtes dans l'eau bouillante et cuire environ 10 minutes ou tel qu'indiqué sur l'emballage.

ÉTAPE 9
SOUPE
fin de la cuisson et entreposage
• Retirer la casserole du feu, laisser refroidir et entreposer au frigo dans un plat hermétiquement fermé.
La conservation: 7 jours

Le jour J: Réchauffer doucement sur la cuisinière.

CRÊPES FARCIES ET BÉCHAMEL DE FROMAGE DE CHÈVRE

ÉTAPE 10
CRÊPES, PENNINES ET SALADE
fin du blanchiment des asperges
• Égoutter les asperges, rincer à l'eau froide, éponger et réserver.

ÉTAPE 11
CRÊPES
préparation de la pâte
• Dans un bol à mélanger, fouetter l'huile avec les œufs et la farine.
• Incorporer graduellement le lait tiède et réserver.

ÉTAPE 12
PENNINES
fin de la cuisson des pâtes
• Égoutter les pâtes, verser l'huile de canola, bien mélanger et réserver.

ÉTAPE 13
CRÊPES
préparation de la béchamel et entreposage
• Faire fondre le beurre dans une casserole.
• Ajouter la farine en pluie et cuire de 2 à 3 minutes jusqu'à l'obtention d'une boule.
• Incorporer le lait en filet jusqu'à l'obtention d'une sauce onctueuse, puis retirer du feu.
• Incorporer le fromage de chèvre, le pesto, les herbes italiennes et les graines de fenouil. Saler et poivrer.
• Laisser refroidir et entreposer au frigo en prenant soin de recouvrir le contenant d'un papier ciré afin d'éviter la formation d'une croûte.

1
2
3
4
5
6
7
8
9
10
11
12
13
14
15
16
17
18
19
20

ÉTAPE 14
CRÊPES
cuisson de la pâte et entreposage
- Dans une poêle antiadhésive d'environ 8 po (20 cm) de diamètre, légèrement huilée si désiré, verser le quart de la pâte.
- Faire cuire la crêpe 1 minute de chaque côté, puis procéder de la même façon pour faire 3 autres crêpes.
- Laisser refroidir, séparer par du papier ciré, emballer hermétiquement, puis entreposer au frigo.

La conservation: 5 jours

Le jour J: Au centre de chaque crêpe, déposer le quart de la béchamel, 1 tranche de jambon, 3 asperges et le quart de l'ananas. Replier et faire chauffer doucement au micro-ondes ou 5 minutes au four, à 375 °F (190 °C).

ÉTAPE 15
PENNINES
préparation de la garniture et montage
- Râper les fromages.
- Couper le chorizo et les oignons verts.
- Faire revenir rapidement à feu vif dans l'huile de canola avec les graines de fenouil.
- Verser la crème, réduire le feu, puis incorporer le pesto et les fromages jusqu'à l'obtention d'une sauce homogène.
- Ajouter les asperges et les crevettes. Saler et poivrer, au goût.
- Combiner avec les pâtes et servir, ou laisser refroidir et entreposer au frigo dans un contenant hermétiquement fermé.

La conservation: 4 jours

Le jour J: Réchauffer doucement à la poêle ou au micro-ondes.

ÉTAPE 16
SALADE
préparation de la mayonnaise
- À l'aide d'un mélangeur à main,
  broyer l'ail et les échalotes françaises.
- Ajouter les blancs d'œufs, le vinaigre,
  la moutarde, les câpres, les épices
  cajuns, le sel, le poivre et l'huile.
- Mélanger en montant doucement
  le pied de l'appareil jusqu'à émulsion.
- Entreposer au frigo dans un contenant
  hermétiquement fermé.

La conservation: 5 jours

Le Jour J: Assembler tous les ingrédients
de la salade et ajouter
la mayonnaise.

Repérer vos recettes préférées

SOUPE-REPAS DE POISSON AUX PARFUMS D'ITALIE	étapes 1, 2, 5 et 9
RISOTTO DE FRUITS DE MER ET CHORIZO	étapes 3 et 4
CRÊPES FARCIES ET BÉCHAMEL DE FROMAGE DE CHÈVRE	étapes 6, 7, 10, 11, 13 et 14
PENNINES AUX 3 FROMAGES ET AU CHORIZO	étapes 6, 7, 8,10, 12 et 15
SALADE-REPAS DE LA NOUVELLE-ORLÉANS	étapes 6, 7, 10 et 16

1
2
3
4
5
6
7
8
9
10
11
12
13
14
15
16
17
18
19
20

liste d'épicerie de la semaine 6 ☑

Fruits et légumes

2	branches de céleri
2	carottes
2	courgettes
36	asperges
14	gousses d'ail
2	oignons verts
2	échalotes françaises
3	gros chapeaux de champignons portobellos
2	petits poireaux
1	petit bulbe de fenouil
2	cœurs de laitue romaine
1 ½ tasse (375 ml)	tomates italiennes en dés (en conserve)
1	orange
2 tasses (500 ml)	ananas (en conserve)

Œufs et produits laitiers

5	œufs
3 ½ oz (100 g)	fromage parmesan frais
7 oz (200 g)	fromage Monterey Jack
5 oz (150 g)	fromage provolone
10 ½ oz (300 g)	fromage de chèvre à pâte molle
⅓ tasse (80 ml)	beurre
2 tasses (500 ml)	crème à cuisson (15 %)
4 tasses (1 L)	lait

Viandes, poissons et fruits de mer

2 tasses (500 ml)	chorizo coupé
12 oz (375 g)	jambon blanc en tranches minces
1 ½ lb (750 g)	crevettes nordiques, cuites et décortiquées
4 oz (125 g)	pétoncles de baie (petits)
2 tasses (500 ml)	petites palourdes avec leur jus
1 ½ lb (750 g)	pangasius ou tilapia

Herbes, épices, sauces et condiments

1 c. à thé (5 ml)	épices cajuns
1 c. à thé (5 ml)	curcuma
1 c. à thé (5 ml)	mélange d'herbes italiennes
½ c. à thé (2 ml)	safran espagnol
1 c. à thé (5 ml)	graines d'anis
2 c. à thé (10 ml)	graines de fenouil
2 c. à soupe (30 ml)	moutarde de Dijon
⅓ tasse (80 ml)	pesto de tomates séchées
1 c. à soupe (15 ml)	câpres

Bouillons, huiles et vinaigres

4 tasses (1 L)	bouillon de poulet
4 tasses (1 L)	bouillon de légumes
2 c. à soupe (30 ml)	concentré liquide de poulet
3 c. à soupe (45 ml)	concentré liquide de légumes
3 tasses (750 ml)	huile de canola ou de tournesol
¼ tasse (60 ml)	huile d'olive
2 c. à soupe (30 ml)	vinaigre de cidre de pomme ou vinaigre de vin

Riz, pains, pâtes et céréales

1 ¾ tasse (430 ml)	riz arborio
1 boîte de 500 g	pennines
½ tasse (125 ml)	risonis (pâtes en forme de riz)
¾ tasse (180 ml)	croûtons à l'ail

Fonds de cuisine

1 ¾ tasse (430 ml)	farine
¼ tasse (60 ml)	miel
	sel et poivre en quantité suffisante

7

Au menu cette semaine

liste des ingrédients pour chaque repas

MIJOTÉ DE POULET AUX AGRUMES ET AUX OLIVES

Les ingrédients

⅓ tasse (80 ml)	huile de canola ou de tournesol
2 lb (1 kg)	hauts de cuisse de poulet désossés, coupés en 4
2	carottes hachées
2	branches de céleri hachées
1 tasse (250 ml)	poireaux hachés
1	rabiole, pelée et coupée en dés
1	petit bulbe de fenouil coupé en dés
4	gousses d'ail hachées
1 c. à soupe (15 ml)	graines de coriandre
1 c. à soupe (15 ml)	graines d'anis (ou de fenouil)
1	citron (le zeste)
2 c. à soupe (30 ml)	farine
2 c. à soupe (30 ml)	concentré liquide de poulet
8 tasses (2 L)	bouillon de poulet
20	olives vertes siciliennes (ou calamata) dénoyautées
1 tasse (250 ml)	pois mange-tout coupés en 3
8	pommes de terre grelots
1 ½ tasse (375 ml)	tomates italiennes en dés (en conserve)
3 c. à soupe (45 ml)	miel
2	tiges d'estragon frais hachées sel et poivre, au goût

Le temps nécessaire: **20 minutes** de préparation + 35 minutes de cuisson

QUICHES DE LA MER AUX POMMES ET AUX NOIX

Les ingrédients

5	gros œufs
1 tasse (250 ml)	crème à cuisson (15 %)
2	fonds de tarte congelés
12	haricots
6	asperges
4 tasses (1 L)	jeunes pousses d'épinards
1 lb (500 g)	filets de truite saumonée sans la peau
¾ tasse (180 ml)	noix de Grenoble
1	pomme Spartan coupée en dés
1 c. à soupe (15 ml)	graines d'aneth
2 tasses (500 ml)	fromage gruyère râpé
	sel et poivre, au goût

Le temps nécessaire: **30 minutes** de préparation + 30 minutes de cuisson

TERRINES DE TRUITE SAUMONÉE AUX FRUITS ET AUX ÉPICES CAJUNS

Les ingrédients

2 lb (1 kg)	filets de truite saumonée sans la peau
1 c. à soupe (15 ml)	épices cajuns
4	tiges d'aneth frais hachées
5	gros œufs
3 c. à soupe (45 ml)	beurre
2 tasses (500 ml)	poireaux émincés
1 tasse (250 ml)	crème à cuisson (15 %) très froide
12	asperges
½ tasse (125 ml)	poires (en conserve), bien égouttées et coupées en dés
½ tasse (125 ml)	pêches (en conserve), bien égouttées et coupées en dés
	sel et poivre, au goût

Le temps nécessaire: **20 minutes** de préparation + 60 minutes de cuisson

LINGUINES DE POULET AU GORGONZOLA

Les ingrédients

1 paquet 500 g	de linguines
⅓ tasse (80 ml)	huile de canola ou de tournesol (pour les pâtes)
2 c. à soupe (30 ml)	beurre
3 c. à soupe (45 ml)	huile de canola ou de tournesol (pour la garniture)
1	oignon rouge moyen haché finement
2	poivrons (couleur au choix) coupés en dés
¼ tasse (60 ml)	vinaigre balsamique
2 c. à soupe (30 ml)	miel
2 lb (1 kg)	hauts de cuisse de poulet désossés, coupés en dés
2	oignons verts hachés
3	gousses d'ail hachées
4 tasses (1 L)	jeunes pousses d'épinards
2 c. à soupe (30 ml)	pesto de tomates séchées
2 tasses (500 ml)	crème à cuisson (15 %)
1 tasse (250 ml)	fromage gorgonzola émietté

Le temps nécessaire: **25 minutes** de préparation + environ 15 minutes de cuisson

SOUPE-REPAS À L'OIGNON ET AU POULET GRATINÉE

Les ingrédients

3 c. à soupe (45 ml)	huile de canola ou de tournesol
2 c. à soupe (30 ml)	beurre
8	oignons moyens coupés en fines rondelles
1	petit bulbe de fenouil frais, coupé en fines rondelles
2 lb (1 kg)	hauts de cuisse de poulet désossés, coupés en dés
8	gousses d'ail hachées
6 tasses (1,5 L)	jeunes pousses d'épinards
2 c. à soupe (30 ml)	farine
6 tasses (1,5 L)	bouillon de poulet
3 c. à soupe	concentré liquide de poulet
1 ½ tasse (375 ml)	tomates italiennes en dés (en conserve)
2 c. à soupe (30 ml)	miel
8	tranches de baguette grillées
8	tranches de fromage à raclette pour gratiner
	sel et poivre, au goût

Le temps nécessaire: **15 minutes de préparation + 18 minutes de cuisson**

La note du chef

Ma soupe à l'oignon

Avec un papa cuisinier, je peux dire que je suis tombé dans
la marmite dès mon plus jeune âge. C'est à huit ans que
j'ai osé cuisiner mon premier plat: une soupe
à l'oignon traditionnelle que j'ai fièrement fait
goûter à toute la famille. Ce fut un succès
instantané! Trente ans plus tard, j'ai pensé
retravailler ma première œuvre en lui
ajoutant du poulet. Plus savoureuse,
ma nouvelle soupe à l'oignon est
donc plus consistante et peut
même tenir lieu de repas.

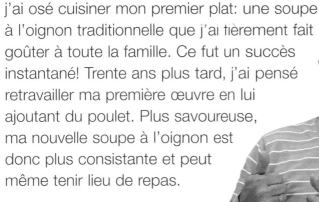

La semaine 7, étape par étape…

ÉTAPE 1
QUICHES ET TERRINES
préparation de l'eau pour la cuisson des légumes et de la truite
- Faire bouillir de l'eau salée dans 2 casseroles: l'une pour blanchir les haricots et les asperges, et l'autre pour pocher la truite.

ÉTAPE 2
MIJOTÉ, LINGUINES ET SOUPE
préparation du poulet
- Couper les hauts de cuisse en dés pour les linguines et la soupe; réserver au frigo. Couper en 4 ceux destinés au mijoté et réserver.

ÉTAPE 3
QUICHES ET TERRINES
cuisson des haricots, des asperges et de la truite
- Équeuter les haricots et couper le pied des asperges.
- Blanchir ensemble ces légumes à l'eau bouillante 3 minutes.
- Pocher la truite 4 minutes.

ÉTAPE 4
MIJOTÉ
préparation des légumes
- Couper les légumes, sauf les pommes de terre. Réserver les pois mange-tout à part.
- Râper le zeste de citron.

ÉTAPE 5
QUICHES ET TERRINES
fin de la cuisson des haricots, des asperges et de la truite
- Égoutter et rincer à l'eau froide les asperges et les haricots pour faire cesser la cuisson.
- Retirer la truite du feu, égoutter, émietter et réserver.

ÉTAPE 6
MIJOTÉ
préparation et cuisson des légumes
- Chauffer l'huile dans un chaudron. Y colorer les carottes, le céleri, les poireaux, la rabiole, le fenouil, les morceaux de poulet, les graines de coriandre et d'anis, le zeste de citron et l'ail.
- Saupoudrer de farine et mélanger.
- Continuer la cuisson environ 1 minute.

ÉTAPE 7
MIJOTÉ
cuisson (suite)
- Ajouter le bouillon et le concentré de poulet, les olives, les pois mange-tout, les pommes de terre entières, les tomates, le miel et l'estragon. Saler et poivrer.
- Laisser mijoter environ 30 minutes à feu moyen.

ÉTAPE 8
LINGUINES
préparation de l'eau pour la cuisson des pâtes
- Faire bouillir de l'eau salée dans une casserole.

TERRINES DE TRUITE SAUMONÉE AUX FRUITS ET AUX ÉPICES CAJUNS

QUICHES DE LA MER AUX
POMMES ET AUX NOIX

ÉTAPE 9
QUICHES
préparation des œufs et de la crème
- Préchauffer le four à 375 °F (190 °C).
- Couper la pomme en petits dés et réserver.
- Dans un bol, mélanger les œufs, la crème, le sel et le poivre; réserver.

ÉTAPE 10
LINGUINES
cuisson des pâtes
- Plonger les pâtes dans l'eau bouillante, et cuire environ 8 minutes ou tel qu'indiqué sur l'emballage.

ÉTAPE 11
TERRINES
cuisson des poireaux
- Émincer les poireaux.
- Faire fondre le beurre dans une casserole et faire étuver les poireaux, ou cuire à couvert, à feu doux.
- Saler, poivrer et poursuivre la cuisson environ 5 minutes.

ÉTAPE 12
QUICHES
montage et cuisson
- Couvrir les fonds de tarte d'épinards.
- Ajouter le tiers de la truite pochée émiettée, les haricots, les asperges, les noix, la pomme et les graines d'aneth.

- Verser le mélange d'œufs, puis saupoudrer de gruyère.
- Cuire 30 minutes au four.

ÉTAPE 13
LINGUINES
fin de la cuisson des pâtes
- Retirer la casserole du feu.
- Égoutter les pâtes, remettre dans la casserole, ajouter l'huile de canola et réserver.

ÉTAPE 14
MIJOTÉ
fin de la cuisson et entreposage
- Retirer le chaudron du feu, laisser refroidir et entreposer au frigo dans un plat hermétiquement fermé.

La conservation: 7 jours

Le jour J: Réchauffer doucement à la poêle ou au micro-ondes.

ÉTAPE 15
TERRINES
préparation de la mousse de truite
- Au robot culinaire, mélanger parfaitement le reste de la truite, les épices cajuns, l'aneth, les œufs, le sel et le poivre.
- Incorporer la crème très froide et réserver.

ÉTAPE 16
TERRINES
montage et cuisson
- Retirer les poireaux du feu.
- Beurrer 2 moules à pain ou en couvrir le fond d'une pellicule plastique.
- Mettre le tiers de la mousse dans le fond.
- Disposer les poires, couvrir d'une deuxième couche de mousse et ajouter les poireaux, les asperges et les pêches.
- Couvrir du reste de mousse.
- Placer les moules dans une lèchefrite remplie d'eau aux trois quarts.
- Réduire la température du four à 350 °F (180 °C) et cuire environ 60 minutes.

LINGUINES DE POULET
AU GORGONZOLA

ÉTAPE 17
LINGUINES
**cuisson de la garniture, montage
et entreposage**

- Dans une poêle, faire revenir à feu moyen,
  dans le beurre et l'huile, l'oignon rouge
  et les poivrons environ 5 minutes.
- Ajouter le poulet, les oignons verts, l'ail
  et les jeunes pousses d'épinards.
- Continuer la cuisson jusqu'à coloration
  du poulet.
- Déglacer avec le vinaigre balsamique.
- Ajouter le miel, le pesto de tomates séchées,
  la crème et le fromage.
- Laisser réduire jusqu'à la consistance désirée,
  puis mélanger avec les pâtes.
- Laisser refroidir et entreposer au frigo, dans
  un plat hermétiquement fermé.

La conservation: 5 jours

**Le jour J: Réchauffer doucement à la poêle
ou au micro-ondes.**

ÉTAPE 18
QUICHES
fin de la cuisson
- Retirer les quiches du four et laisser refroidir.
- Emballer hermétiquement et entreposer
  au frigo.

**La conservation: 5 jours. On peut aussi
les congeler.**

**Le jour J: Réchauffer 10 minutes au four
à 375 °F (190 °C) (20 minutes
si congelées).**

ÉTAPE 19
SOUPE
cuisson et entreposage
- Couper l'ail et réserver.
- Couper l'oignon et le fenouil. Les faire brunir
  à feu moyen dans le beurre et l'huile.
- Ajouter le reste du poulet, l'ail et les épinards.
- Saupoudrer de farine, bien mélanger et laisser
  cuire environ 1 minute.
- Ajouter le bouillon et le concentré de poulet,
  les tomates et le miel. Saler et poivrer au
  goût.
- Laisser mijoter 15 minutes. Laisser refroidir
  et entreposer au frigo dans un plat
  hermétiquement fermé.

**La conservation: 7 jours. On peut aussi
la congeler.**

**Le jour J: Faire griller les tranches de pain
au four. Verser la soupe dans
des bols allant au four, y déposer
les croûtons, garnir de fromage
et faire gratiner.**

ÉTAPE 20

TERRINES
fin de la cuisson et entreposage
- Retirer les plats du four et laisser refroidir.
  Emballer hermétiquement et entreposer
  au frigo.

La conservation: 4 jours

Le jour J: Réchauffer doucement au micro-
ondes dans un plat couvert d'une
pellicule plastique. Accompagner
de légumes prélevés du mijoté.

Repérer vos recettes préférées

MIJOTÉ DE POULET AUX AGRUMES ET AUX OLIVES	étapes 2, 4, 6, 7 et 14
QUICHES DE LA MER AUX POMMES ET AUX NOIX	étapes 1, 3, 5, 9, 12 et 18
TERRINES DE TRUITE SAUMONÉE AUX FRUITS ET AUX ÉPICES CAJUN	étapes 1, 3, 5, 11, 15, 16 et 20
LINGUINES DE POULET AU GORGONZOLA	étapes 2, 8, 10, 13 et 17
SOUPE-REPAS À L'OIGNON ET AU POULET GRATINÉE	étapes 2 et 19

1
2
3
4
5
6
7
8
9
10
11
12
13
14
15
16
17
18
19
20

liste d'épicerie de la semaine 7 ☑

Fruits et légumes

1	oignon rouge
8	oignons moyens
2	branches de céleri
2	carottes
2	poivrons (couleur au choix)
3 tasses (750 ml)	poireaux coupés
2	oignons verts
15	gousses d'ail
2	petits bulbes de fenouil
1	rabiole (petit navet)
14 tasses (3,5 L)	jeunes pousses d'épinards
8	pommes de terre grelots
1 tasse (250 ml)	pois mange-tout
18	asperges
12	haricots
1 boîte de 28 oz (796 ml)	tomates italiennes en dés
20	olives vertes siciliennes (ou kalamata) dénoyautées
1	pomme Spartan
1	citron
½ tasse (125 ml)	poires (en conserve)
½ tasse (125 ml)	pêches (en conserve)

Œufs et produits laitiers

10	œufs
3 ½ oz (100 g)	fromage gorgonzola
7 oz (200 g)	fromage gruyère
8	tranches de fromage à raclette
4 tasses (1 L)	crème à cuisson (15 %)
environ ½ tasse (125 ml)	beurre

Viandes, poissons et fruits de mer

6 lb (3 kg)	hauts de cuisse de poulet désossés
3 lb (1,5 kg)	filets de truite saumonée sans la peau

Herbes, épices, sauces et condiments

2	tiges d'estragon frais
4	tiges d'aneth frais
1 c. à soupe (15 ml)	graines d'anis (ou de fenouil)
1 c. à soupe (15 ml)	graines de coriandre
1 c. à soupe (15 ml)	graines d'aneth
1 c. à soupe (15 ml)	épices cajuns
2 c. à soupe (30 ml)	pesto de tomates séchées

Bouillon, huiles et vinaigres

14 tasses (3,5 L)	bouillon de poulet
⅓ tasse (80 ml)	concentré liquide de poulet
1 tasse (250 ml)	huile de canola ou de tournesol
¼ tasse (60 ml)	vinaigre balsamique

Riz, pains, pâtes et céréales

1	baguette
1 boîte de 500 g	linguines

Noix, graines et légumineuses

¾ tasse (180 ml)	noix de Grenoble

Fonds de cuisine

½ tasse (125 ml)	miel
¼ tasse (60 ml)	farine
	sel et poivre en quantité suffisante

Divers

2	fonds de tarte congelés

8

Au menu cette semaine

1
2
3
4
5
6
7
8
9
10
11
12
13
14
15
16
17
18
19
20

liste des ingrédients pour chaque repas

PAVÉS DE MAHI-MAHI SUR LIT DE COURGE SPAGHETTI

Les ingrédients

4 lb (2 kg)	courge spaghetti dont la moitié servira à la salade et à la frittata
	huile d'olive pour badigeonner
2 c. à soupe (30 ml)	huile de canola ou de tournesol
4	gousses d'ail hachées
4	oignons verts hachés
3 c. à soupe (45 ml)	câpres
3 c. à soupe (45 ml)	raisins dorés
4 tasses (1 L)	jeunes pousses d'épinards
2 boîtes de 6 oz (170 g)	thon en conserve dans l'eau
2 tasses (500 ml)	tomates italiennes en dés (en conserve)
2 c. à soupe (30 ml)	miel
6	tiges de coriandre fraîche hachées
1 tasse (250 ml)	crème à cuisson (15 %)
3 c. à soupe (45 ml)	fromage parmesan frais râpé
4	pavés de mahi-mahi soit 1 ¼ lb (625 g) en tout
	sel et poivre, au goût

Le temps nécessaire: 15 minutes de préparation + 20 minutes de cuisson

Le poids de la courge peut varier de 3 à 7 oz (100 à 200 g) sans modifier la recette.

SAUTÉ DE VEAU AUX PARFUMS DES ÎLES

Les ingrédients

⅓ tasse (80 ml)	huile de canola ou de tournesol
2 lb (1 kg)	cubes de veau à mijoter
6	carottes coupées en rondelles
2 tasses (500 ml)	poireaux hachés
1 c. à soupe (15 ml)	gingembre frais haché
½	orange (le zeste)
3 c. à soupe (45 ml)	noix de coco râpée non sucrée
6 tasses (1,5 L)	bouillon de bœuf
2 c. à soupe (30 ml)	concentré liquide de bœuf
½ tasse (125 ml)	bananes séchées
½ tasse (125 ml)	lentilles vertes
½ tasse (125 ml)	lait de coco
1 c. à soupe (15 ml)	miel ou sirop d'érable
	sel et poivre, au goût

Le temps nécessaire: 20 minutes de préparation + 1 h 45 de cuisson

RIZ DE SAUCISSES ITALIENNES À L'ORANGE ET AU CARI

Les ingrédients

⅓ tasse (80 ml)	huile de canola ou de tournesol
2 tasses (500 ml)	riz basmati
1	bulbe de fenouil coupé en dés
2 tasses (500 ml)	poireaux hachés
6	carottes moyennes coupées en rondelles
6	gousses d'ail hachées
½ tasse (125 ml)	bananes séchées
8	saucisses italiennes (fortes ou douces, au goût)
4 tasses (1 L)	bouillon de légumes
2 c. à soupe (30 ml)	concentré liquide de légumes
1 c. à soupe (15 ml)	cari
3 c. à soupe (45 ml)	marmelade d'oranges
	sel et poivre, au goût

Le temps nécessaire: 10 minutes de préparation + 25 minutes de cuisson

SALADE DE THON ET DE COURGE

Les ingrédients

6	carottes moyennes râpées
1	bulbe de fenouil râpé
¼	de la chair cuite des courges (voir recette de pavés de mahi-mahi)
2 boîtes de 170 g	thon en conserve dans l'eau
½ tasse (125 ml)	raisins secs

Mayonnaise

2	échalotes françaises
4	gousses d'ail
2	blancs d'œufs
2 c. à soupe (30 ml)	moutarde de Dijon
1 c. à soupe (15 ml)	pesto de tomates séchées
2 c. à soupe (30 ml)	jus de citron ou de lime
2 tasses (500 ml)	huile de canola ou de tournesol
	sel et poivre, au goût

Le temps nécessaire:
20 minutes de préparation

SUPER-DOGS À L'ITALIENNE

Les ingrédients

1 paquet de 14 oz (400 g)	pâte feuilletée congelée
¾ tasse (180 ml)	fromage de chèvre à pâte molle
2 c. à soupe (30 ml)	pesto de tomates séchées
1 c. à thé (5 ml)	graines de fenouil
4	saucisses italiennes (fortes ou douces, au goût)

Le temps nécessaire: 20 minutes de préparation + 40 minutes de cuisson

FRITTATA DE VEAU ET DE COURGE SPAGHETTI

Les ingrédients

8	gros œufs
1 ¾ tasse (430 ml)	lait
3 c. à soupe (45 ml)	huile de canola ou de tournesol
1	poivron (couleur au choix) coupé en dés
15	olives vertes dénoyautées
1 tasse (250 ml)	sauté de veau (voir recette)
¼	de la chair cuite des courges (voir recette de pavés de mahi-mahi)
2 tasses (500 ml)	fromage gruyère râpé
	sel et poivre, au goût

Le temps nécessaire: 5 minutes de préparation + 20 minutes de cuisson

La note du chef

Les super-dogs

On raconte que le hot-dog fut inventé à New York vers la fin du XIXe siècle par un marchand de saucisses ambulant qui fournissait des gants de plastique à ses clients pour éviter qu'ils ne se brûlent. Comme il vint à manquer de gants, il demanda à un ami boulanger de lui fabriquer des petits pains pour y mettre ses saucisses. Le hot-dog était né! Quant à son nom, il le doit à la rumeur qui voulait que la viande des saucisses ainsi vendues dans la rue soit de la viande de chien…

    Mais avec sa pâte feuilletée, son fromage de chèvre et son pesto de tomates séchées, mon super-dog vous fera vite oublier les origines douteuses de son ancêtre.

La semaine 8, étape par étape...

RIZ DE SAUCISSES ITALIENNES
À L'ORANGE ET AU CARI

ÉTAPE 1
RIZ ET SUPER-DOGS
cuisson des saucisses
- Faire dégeler la pâte feuilletée pour les super-dogs.
- Piquer les saucisses, mettre dans une grande casserole, couvrir d'eau froide et porter à ébullition.
- Faire cuire 5 minutes.

Le fait de blanchir les saucisses permet d'éliminer l'excédent de gras sans les dessécher.

ÉTAPE 2
PAVÉS DE MAHI-MAHI, SALADE ET FRITTATA
cuisson de la courge spaghetti
- Couper la courge en 2. Badigeonner sa chair d'huile d'olive, saler et poivrer.
- Envelopper chaque moitié de pellicule plastique et faire cuire une demi-courge à la fois au micro-ondes à puissance maximale pendant 8 minutes.

ÉTAPE 3
RIZ ET SUPER-DOGS
fin de la cuisson des saucisses
- Égoutter les saucisses et réserver.

ÉTAPE 4
PAVÉS DE MAHI-MAHI, SALADE ET FRITTATA
fin de la cuisson de la courge spaghetti
- Retirer la pellicule plastique en usant d'une extrême prudence en raison de la chaleur de la vapeur.
- Enlever la chair et en réserver la moitié pour les pavés, le quart pour la salade et le dernier quart pour la frittata.

ÉTAPE 5
SAUTÉ ET RIZ
préparation des légumes
- Couper les légumes et le gingembre.
- Trancher les saucisses en rondelles et râper le zeste. Réserver.

ÉTAPE 6
SAUTÉ
cuisson de la viande et des légumes
- Rincer les lentilles à grande eau, égoutter et réserver.
- Dans une grande poêle, faire revenir le veau dans l'huile, à feu vif, jusqu'à coloration, avec les poireaux, les carottes, le gingembre et le zeste d'orange. Saler et poivrer.
- Ajouter la noix de coco, le bouillon et le concentré de poulet.
- Réduire le feu de moitié et laisser mijoter 45 minutes.

ÉTAPE 7
RIZ
préparation et cuisson
- Rincer le riz jusqu'à ce que l'eau soit claire et bien égoutter.
- Dans une casserole, le faire revenir dans l'huile avec le fenouil, les poireaux, les carottes, l'ail, les

bananes séchées et les saucisses
tranchées.
- Bien mélanger et continuer la cuisson
  1 minute.
- Ajouter le bouillon et le concentré
  de légumes, le cari et la marmelade.
  Saler et poivrer.
- Réduire le feu au minimum, couvrir et
  laisser cuire jusqu'à l'absorption totale
  du liquide, soit environ 20 minutes.

ÉTAPE 8
SALADE
**préparation de la mayonnaise
et entreposage**
- À l'aide d'un mélangeur à main,
  broyer les échalotes françaises
  et l'ail dans un bol étroit.
- Ajouter les blancs d'œufs, la
  moutarde, le pesto, le jus de citron.
  Saler et poivrer.
- Ajouter l'huile et mélanger
  en remontant doucement le pied
  de l'appareil jusqu'à émulsion.

**PAVÉS DE MAHI-MAHI SUR LIT
DE COURGE SPAGHETTI**

- Entreposer au frigo dans un contenant
  hermétiquement fermé.

ÉTAPE 9
SALADE
**préparation des autres ingrédients
et entreposage**
- Râper les carottes et le fenouil.
- Ajouter le thon égoutté, la courge
  spaghetti et les raisins.
- Entreposer au frigo dans un contenant
  hermétiquement fermé.

La conservation: 5 jours

Le jour J: Combiner la salade
et la mayonnaise, et servir avec
les super-dogs à l'italienne.

ÉTAPE 10
RIZ
fin de la cuisson et entreposage
- Retirer la casserole du feu, laisser
  refroidir et entreposer au frigo dans
  un plat hermétiquement fermé.

La conservation: 5 jours

Le jour J: Réchauffer doucement
au micro-ondes.

ÉTAPE 11
SUPER-DOGS
montage et entreposage
- Abaisser les rectangles de
  pâte feuilletée de façon à
  en faire 4 carrés.
- Dans un bol, mélanger le fromage
  de chèvre, le pesto et les graines
  de fenouil, et répartir ce mélange
  sur les carrés.
- Déposer la saucisse bien refroidie,
  puis façonner la pâte de façon
  à obtenir un rouleau.
- Couvrir de papier ciré, emballer
  hermétiquement et mettre au
  congélateur.

La conservation: 2 semaines

Le jour J: Déposer les super-dogs encore congelés sur une plaque à cuisson huilée et les badigeonner de 2 jaunes d'œufs légèrement battus. Faire cuire au four préchauffé à 375 °F (190 °C) pendant 30 minutes (réduire le temps de cuisson de 5 minutes si on fait cuire sans congeler). Servir avec la salade de thon et de courge.

ÉTAPE 12
FRITTATA
cuisson et entreposage
- Préchauffer le four à 375 °F (190 °C).
- Couper le poivron et râper le fromage.
- Dans un bol, fouetter énergiquement les œufs, le lait, le sel et le poivre. Ajouter le poivron, les olives, le sauté (en prélever 1 tasse (250 ml) en cours de cuisson) et la courge spaghetti.
- Faire chauffer l'huile dans une poêle, verser la préparation et laisser saisir 2 minutes pour faire prendre le dessous de la frittata, sans plus.
- Poursuivre la cuisson au four pendant 20 minutes.
- Environ 5 minutes avant la fin de la cuisson, saupoudrer de fromage et faire gratiner.
- Laisser refroidir et entreposer au frigo dans un plat hermétiquement fermé.

La conservation: 4 jours

Le jour J: Réchauffer doucement au micro-ondes.

ÉTAPE 13
PAVÉS DE MAHI-MAHI
préparation et entreposage
- Hacher l'ail, les oignons verts et la coriandre. Râper le parmesan.

- Dans une grande casserole, faire chauffer l'huile avec l'ail, les oignons verts, les câpres, les raisins, les épinards, la courge spaghetti et le thon égoutté.
- Déglacer avec les tomates et le miel.
- Laisser mijoter environ 3 minutes.
- Ajouter la crème, le parmesan et la coriandre.
- Continuer la cuisson jusqu'à consistance désirée.
- Laisser refroidir et entreposer au frigo dans un contenant hermétiquement fermé.

La conservation: 3 jours

Le jour J: Réchauffer le mélange de courge spaghetti au micro-ondes. Pendant ce temps, dans une poêle contenant un peu d'huile, faire cuire les pavés de mahi-mahi, à feu moyen-vif, pendant 2 minutes de chaque côté. Saler, poivrer et servir immédiatement sur le mélange de courge.

FRITTATA DE VEAU ET DE COURGE SPAGHETTI

Le mahi-mahi, tout comme le thon et l'espadon, se mange légèrement rosé. Pour varier, servez avec du pangasius, un savoureux poisson à chair blanche maintenant vendu dans les supermarchés.

ÉTAPE 14
SAUTÉ
fin de la cuisson et entreposage
• Ajouter les bananes, les lentilles, le lait de coco et le miel.
• Poursuivre la cuisson environ 45 minutes.
• Laisser refroidir et entreposer au frigo dans un plat hermétiquement fermé.

La conservation: 5 jours. On peut aussi le congeler.

Le jour J: Réchauffer doucement à la poêle ou au micro-ondes.

Repérer vos recettes préférées

liste d'épicerie de la semaine 8 ☑

Fruits et légumes

4	oignons verts
1	poivron (couleur au choix)
2	bulbes de fenouil
14	gousses d'ail
18	carottes
4 lb (2 kg)	courge spaghetti
4 tasses (1 L)	poireaux hachés
4 tasses (1 L)	jeunes pousses d'épinards
2	échalotes françaises
15	olives vertes dénoyautées
2 tasses (500 ml)	tomates italiennes en dés (en conserve)
1	orange
2 c. à soupe (30 ml)	jus de citron (ou de lime)
1 tasse (250 ml)	bananes séchées
3 c. à soupe (45 ml)	raisins dorés
½ tasse (125 ml)	raisins secs

Œufs et produits laitiers

10	œufs
1 ¾ tasse (430 ml)	lait
1 tasse (250 ml)	crème à cuisson (15 %)
1 ½ oz (50 g)	fromage parmesan frais
10 ½ oz (300 g)	fromage gruyère
5 oz (150 g)	fromage de chèvre frais à pâte molle

Viandes, poissons et fruits de mer

2 lb (1 kg)	cubes de veau à mijoter
12	saucisses italiennes (fortes ou douces au goût)
4	pavés de mahi-mahi, environ 1 ¼ lb (625 g) en tout
4 boîtes de 6 oz (170 g)	thon en conserve dans l'eau

Herbes, épices, sauces et condiments

6	tiges de coriandre fraîche
1 c. à thé (5 ml)	graines de fenouil
1 c. à soupe (15 ml)	gingembre frais
1 c. à soupe (15 ml)	cari
3 c. à soupe (45 ml)	pesto de tomates séchées
3 c. à soupe (45 ml)	câpres
2 c. à soupe (30 ml)	moutarde de Dijon

Bouillon, huiles et vinaigres

6 tasses (1,5 L)	bouillon de bœuf
4 tasses (1 L)	bouillon de légumes
2 c. à soupe (30 ml)	concentré liquide de bœuf
2 c. à soupe (30 ml)	concentré liquide de légumes
3 c. à soupe (45 ml)	huile d'olive
3 tasses (750 ml)	huile de canola ou de tournesol

Riz, pains, pâtes et céréales

2 tasses (500 ml)	riz basmati

Noix, graines et légumineuses

½ tasse (125 ml)	lentilles vertes

Fonds de cuisine

3 c. à soupe (45 ml)	miel
	sel et poivre en quantité suffisante

Divers

1 paquet de 14 oz (400 g)	pâte feuilletée congelée
3 c. à soupe (45 ml)	noix de coco râpée non sucrée
½ tasse (125 ml)	lait de coco
3 c. à soupe (45 ml)	marmelade d'oranges

Les sens

La cuisine, la vraie, fait appel à nos cinq sens. Laissez-vous emporter par ses odeurs, ses saveurs, ses couleurs, ses textures et sa musique.

9

Au menu cette semaine

1
2
3
4
5
6
7
8
9
10
11
12
13
14
15
16
17
18
19
20

liste des ingrédients pour chaque repas

CANNELLONIS D'AGNEAU AUX 3 FROMAGES

Les ingrédients

1 boîte de 1 lb (500 g)	cannellonis
⅓ tasse (80 ml)	huile de canola ou de tournesol (pour les pâtes)
3 tasses (750 ml)	sauce tomate (voir recette)
Les deux tiers	farce à l'agneau (voir recette)
¼ tasse (60 ml)	fromage parmesan frais râpé

Le temps nécessaire: 15 minutes
de préparation + 30 minutes de cuisson

PORTOBELLOS D'AGNEAU AUX TOMATES SÉCHÉES ET AUX PIGNONS

Les ingrédients

3 c. à soupe (45 ml)	huile de canola ou de tournesol
8	gros champignons portobellos
1 tasse (250 ml)	fromage de chèvre à pâte ferme
⅓ tasse (80 ml)	pignons (noix de pin) grillés
6	tomates séchées dans l'huile hachées finement
5	feuilles de basilic frais hachées finement
2 tasses (500 ml)	fromage mozzarella râpé
Le tiers	farce à l'agneau (voir recette)
	paprika, au goût
	sel et poivre, au goût
1 ¾ tasse (430 ml)	sauce tomate, pour servir (voir recette)

Le temps nécessaire: 20 minutes
de préparation + 15 minutes de cuisson

SPAGHETTIS DE LA MER À LA SICILIENNE

Les ingrédients

1 boîte de 1 lb (500 g)	spaghettis
⅓ tasse (80 ml)	huile de canola ou de tournesol (pour les pâtes)
3 c. à soupe (45 ml)	huile de canola ou de tournesol (pour la sauce)
3	filets d'anchois dans l'huile (facultatif)
3	gousses d'ail hachées
2 c. à soupe (30 ml)	câpres
3	oignons verts hachés
¼ tasse (60 ml)	vin rouge sec
1 petite boîte	petites palourdes avec leur jus
8 oz (250 g)	crevettes nordiques, cuites et décortiquées
8	olives noires, dénoyautées et hachées
1 tasse (250 ml)	sauce tomate (voir recette)
¼ tasse (60 ml)	parmesan frais râpé, pour servir

Le temps nécessaire: 10 minutes
de préparation + 15 minutes de cuisson

BASMATI D'AGNEAU AUX HERBES

Les ingrédients

⅓ tasse (80 ml)	huile de canola ou de tournesol
2 tasses (500 ml)	riz basmati
1	poivron (couleur au choix) coupé en dés
2 tasses (500 ml)	poireaux hachés
6	gousses d'ail hachées
2 tasses (500 ml)	champignons café taillés en lamelles
1 lb (500 g)	agneau haché
4 tasses (1 L)	bouillon de bœuf
2 c. à soupe (30 ml)	concentré liquide de bœuf
1 c. à thé (5 ml)	épices cajuns
1 c. à thé (5 ml)	curcuma
1 tasse (250 ml)	sauce tomate (voir recette)
8 oz (250 g)	crevettes nordiques, cuites et décortiquées
3	tiges d'origan frais hachées
4	tiges de coriandre fraîche hachées
	sel et poivre, au goût

Le temps nécessaire: 10 minutes de préparation + 25 minutes de cuisson

CARI DE LÉGUMES AU FLÉTAN ET AUX FRUITS DE MER

Les ingrédients

⅓ tasse (80 ml)	huile de canola ou de tournesol
1	petite aubergine, pelée et coupée en dés
¾ tasse (180 ml)	pruneaux, dénoyautés et coupés en dés
3 c. à soupe (45 ml)	raisins de Corinthe
1 ½ tasse (375 ml)	pois mange-tout coupés en 3
3	carottes moyennes coupées en rondelles
½	chou-fleur coupé en bouquets
3 ½ tasses (875 ml)	champignons café coupés en lamelles
1 ½ tasse (375 ml)	rabiole (petit navet) coupée en dés
¼ tasse (60 ml)	gingembre frais haché
1 c. à soupe (15 ml)	cari
1 c. à thé (5 ml)	curcuma
4 tasses (1 L)	bouillon de légumes
2 c. à soupe (30 ml)	concentré liquide de légumes
1 petite boîte	petites palourdes avec leur jus
1 c. à soupe (15 ml)	graines d'anis
2 c. à soupe (30 ml)	amandes moulues
1 tasse (250 ml)	pois chiches (en conserve)
8 oz (250 g)	crevettes nordiques, cuites et décortiquées
1 lb (500 g)	flétan coupé en dés
	sel et poivre, au goût

Le temps nécessaire: 15 minutes de préparation + 20 minutes de cuisson

SAUCE TOMATE AU FENOUIL ET AUX OLIVES VERTES

Les ingrédients

3 c. à soupe (45 ml)	huile de canola ou de tournesol
2 c. à soupe (30 ml)	graines de fenouil
1 ½ tasse (375 ml)	poireaux hachés
6	gousses d'ail hachées
15	olives siciliennes vertes, dénoyautées et hachées grossièrement
1	orange (le zeste)
3 c. à soupe (45 ml)	miel
2 boîtes de 28 oz (796 ml)	tomates italiennes en dés
3 c. à soupe (45 ml)	concentré liquide de bœuf
3 c. à soupe	pesto de basilic
	sel et poivre, au goût
2 c. à soupe (30 ml)	fécule de maïs délayée dans un peu d'eau froide

Le temps nécessaire: 5 minutes de préparation + 15 minutes de cuisson

 Nécessaire pour les cannellonis, les spaghettis et le basmati, en accompagnement des portobellos, et délicieuse sur des spaghettis ou des fettucinis, par exemple

FARCE À L'AGNEAU

Les ingrédients

3 lb (1,5 kg)	agneau haché (ou viande hachée au choix)
3	gros œufs
⅓ tasse (80 ml)	chapelure italienne
⅓ tasse (80 ml)	fromage parmesan frais râpé
⅓ tasse (80 ml)	fromage cheddar râpé
1 ¼ tasse (310 ml)	fromage ricotta
15	feuilles de menthe fraîche hachées finement
2 c. à soupe (30 ml)	mélange d'herbes italiennes
	sel et poivre, au goût

Le temps nécessaire:
10 minutes de préparation

 Nécessaire pour les cannellonis et les portobellos

La note du chef

Spaghettis de la mer à la sicilienne

Autrefois, dans le sud de l'Italie, on concoctait ce plat à base
d'anchois, d'olives et de tomates, pour sa haute teneur
énergétique et son faible coût. Il convenait aux gens qui
travaillaient toute la journée dans les champs et dans
les vignes, au grand soleil. Et apparemment, les
filles de joie en raffolaient, elles en avaient
besoin pour la nuit…

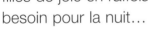

La semaine 9, étape par étape...

PORTOBELLOS D'AGNEAU AUX TOMATES SÉCHÉES ET AUX PIGNONS

ÉTAPE 1

CANNELLONIS ET SPAGHETTIS

préparation de l'eau pour la cuisson des pâtes

- Faire bouillir de l'eau salée dans deux casseroles.

ÉTAPE 2

SAUCE TOMATE

préparation et cuisson

- Couper les légumes et râper le zeste d'orange.
- Faire revenir dans l'huile et à feu vif environ 1 minute, avec les graines de fenouil.
- Ajouter le miel, les tomates, le concentré liquide et le pesto. Saler et poivrer.
- Porter à ébullition et incorporer la fécule de maïs délayée.
- Réduire le feu et laisser mijoter 15 minutes.

ÉTAPE 3

CANNELLONIS ET SPAGHETTIS

cuisson des pâtes

- Plonger les pâtes dans les 2 casseroles d'eau bouillante et cuire tel qu'indiqué sur l'emballage.

ÉTAPE 4

CANNELLONIS ET PORTOBELLOS

préparation de la farce

- Râper les fromages et hacher la menthe.
- Combiner tous les ingrédients.
- Dans 2 bols séparés, réserver les deux tiers de la préparation pour les cannellonis et le dernier tiers pour les portobellos.

ÉTAPE 5

CANNELLONIS ET SPAGHETTIS

fin de la cuisson des pâtes

- Égoutter les pâtes, y verser l'huile de canola et réserver.

ÉTAPE 6

SAUCE TOMATE

fin de la cuisson et entreposage

- Retirer la sauce tomate du feu.
- Prélever 5 tasses (1,25 L) pour les autres recettes du menu, soit 3 tasses (750 ml) pour les cannellonis, 1 tasse (250 ml) pour les spaghettis et 1 tasse (250 ml) pour le basmati.
- Laisser refroidir le reste, soit 1 tasse (250 ml), entreposer au frigo dans un contenant hermétiquement fermé et servir avec les portobellos le jour J.

La conservation: 5 jours. On peut aussi la congeler.

Le jour J: Réchauffer sur la cuisinière ou au micro-ondes.

ÉTAPE 7
CANNELLONIS
montage et cuisson
- Préchauffer le four à 375 °F (190 °C).
- Verser un peu de sauce tomate dans le fond d'un plat allant au four.
- À l'aide d'une poche à pâtisserie, remplir chaque cannelloni de farce à l'agneau.
- Déposer les pâtes farcies dans le plat, couvrir du reste de sauce et saupoudrer de parmesan.
- Faire cuire au four 30 minutes.

ÉTAPE 8
PORTOBELLOS
préparation de la garniture au fromage
- Râper la mozzarella et réserver.
- Faire griller les pignons à sec dans une poêle antiadhésive.
- Hacher les tomates séchées et le basilic.
- Dans un bol, mélanger le fromage de chèvre, les pignons grillés, les tomates séchées et le basilic.

SAUCE TOMATE AU FENOUIL ET AUX OLIVES VERTES

ÉTAPE 9
PORTOBELLOS
préparation des champignons
- Couper les pieds des champignons (s'ils sont beaux, les nettoyer parfaitement, les hacher et les incorporer à la garniture au fromage).
- Faire chauffer l'huile dans une poêle et y saisir les chapeaux à feu moyen-vif. Saler et poivrer.
- Réduire le feu de moitié, couvrir et laisser étuver 3 minutes.
- Retirer le couvercle, tourner les champignons et laisser l'eau s'évaporer quelques minutes.

ÉTAPE 10
PORTOBELLOS
montage et cuisson
- Tartiner l'intérieur de chaque champignon d'un peu de garniture au fromage, ajouter la farce et le reste de la garniture au fromage.
- Saupoudrer de mozzarella et de paprika.
- Déposer les champignons farcis dans un plat allant au four et cuire 15 minutes, à 375 °F (190 °C).

ÉTPE 11
SPAGHETTIS
cuisson de la sauce
- Hacher les légumes.
- Faire chauffer l'huile dans une casserole, et y faire revenir les anchois (s'il y a lieu) et l'ail.
- Ajouter les câpres et les oignons verts.
- Déglacer avec le vin rouge, puis laisser réduire.
- Ajouter les palourdes et leur jus, les crevettes, les olives noires et la sauce tomate.
- Remuer et laisser mijoter 10 minutes.

ÉTAPE 12
BASMATI
préparation et cuisson
- Couper tous les légumes.
- Faire chauffer l'huile dans une grande casserole et y saisir le riz, le poivron, les poireaux, l'ail, les champignons et l'agneau à feu vif.
- Ajouter le bouillon et le concentré de bœuf, les épices cajuns, le curcuma et la sauce tomate. Bien mélanger et porter à ébullition.
- Réduire le feu au minimum, couvrir et continuer la cuisson 20 minutes ou jusqu'à absorption complète du liquide.

ÉTAPE 13
CANNELLONIS
fin de la cuisson et entreposage
- Retirer le plat du four, laisser refroidir, emballer hermétiquement et entreposer au frigo.

La conservation: 5 jours. On peut aussi les congeler.

Le jour J: Réchauffer 15 minutes au four à 375 °F (190 °C) ou au micro-ondes.

ÉTAPE 14
PORTOBELLOS
fin de la cuisson et entreposage
- Retirer le plat du four, laisser refroidir et entreposer au frigo dans un contenant hermétiquement fermé.

La conservation: 3 jours. On peut aussi les congeler.

Le jour J: Réchauffer au four à 375 °F (190 °C) environ 10 minutes ou au micro-ondes. Accompagner de sauce tomate chaude.

ÉTAPE 15
SPAGHETTIS
fin de la cuisson de la sauce et entreposage
- Combiner la sauce et les pâtes, laisser refroidir et entreposer au frigo dans un contenant hermétiquement fermé.

La conservation: 3 jours

Le jour J: Réchauffer doucement dans une casserole ou au micro-ondes. Au moment de servir, saupoudrer de parmesan frais râpé.

ÉTAPE 16
CARI
préparation et cuisson
- Tailler les légumes, les pruneaux et le flétan.
- Hacher le gingembre.
- Faire chauffer l'huile dans une casserole et y faire revenir les légumes, les fruits et le gingembre.
- Cuire à couvert pendant 5 minutes.
- Ajouter le cari, le curcuma, le bouillon et le concentré de légumes, les palourdes avec leur jus, les graines d'anis et les amandes moulues. Saler et poivrer.
- Laisser mijoter 10 minutes.

CARI DE LÉGUMES AU FLÉTAN ET AUX FRUITS DE MER

ÉTAPE 17
BASMATI
fin de la cuisson et entreposage
- Ajouter les crevettes, saler et poivrer au goût. Retirer la casserole du feu.
- Hacher l'origan et la coriandre, et incorporer au plat.
- Laisser refroidir et entreposer au frigo dans un contenant hermétiquement fermé.

La conservation: 5 jours. On peut aussi le congeler.

Le jour J: Réchauffer doucement au micro-ondes.

ÉTAPE 18
CARI
fin de la cuisson et entreposage
- Ajouter les pois chiches, les crevettes et le flétan, puis poursuivre la cuisson 5 minutes.
- Laisser refroidir et entreposer au frigo dans un contenant hermétiquement fermé.

La conservation: 5 jours

Le jour J: Réchauffer dans une casserole ou au micro-ondes.

Repérer vos recettes préférées

CANNELLONIS D'AGNEAU AUX 3 FROMAGES	étapes 1, 2, 3, 4, 5, 6, 7 et 13
PORTOBELLOS D'AGNEAU AUX TOMATES SÉCHÉES ET AUX PIGNONS	étapes 2, 4, 6, 8, 9, 10 et 14
SPAGHETTIS DE LA MER À LA SICILIENNE	étapes 1, 2, 3, 5, 6,11 et 15
BASMATI D'AGNEAU AUX HERBES	étapes 2, 6, 12 et 17
CARI DE LÉGUMES AU FLÉTAN ET AUX FRUITS DE MER	étapes 16 et 18
SAUCE TOMATE AU FENOUIL ET AUX OLIVES VERTES	étapes 2 et 6

liste d'épicerie de la semaine 9 ☑

Fruits et légumes

3	carottes
1	poivron (couleur au choix)
3 ½ tasses (875 ml)	poireaux hachés
½	chou-fleur
1	petite aubergine
1 ½ tasse (375 ml)	pois mange-tout
1 ½ tasse (375 ml)	rabiole (petit navet) en dés
15	gousses d'ail
3	oignons verts
8	champignons portobellos
5 ½ tasses (1,375 L)	champignons café
8	olives noires dénoyautées
15	olives siciliennes vertes dénoyautées
2 boîtes de 28 oz (796 ml)	tomates italiennes en dés
6	tomates séchées dans l'huile
1	orange
¾ tasse (180 ml)	pruneaux dénoyautés
3 c. à soupe (45 ml)	raisins de Corinthe

Œufs et produits laitiers

3	œufs
3 ½ oz (100 g)	fromage parmesan frais
1 oz (35 g)	fromage cheddar
7 oz (200 g)	fromage mozzarella
10 ½ oz (300 g)	fromage ricotta
7 oz (200 g)	fromage de chèvre à pâte ferme

Viandes, poissons et fruits de mer

4 lb (2 kg)	agneau haché
1 lb (500 g)	flétan
1 ½ lb (750 g)	crevettes nordiques, cuites et décortiquées
2 petites boîtes	petites palourdes

Herbes, épices, sauces et condiments

15	feuilles de menthe fraîche
5	feuilles de basilic frais
3	tiges d'origan frais
4	tiges de coriandre fraîche
2 c. à soupe (30 ml)	mélange d'herbes italiennes
¼ tasse (60 ml)	gingembre frais
1 c. à thé (5 ml)	épices cajuns
2 c. à thé (10 ml)	curcuma
1 c. à soupe (15 ml)	cari
1 c. à thé (5 ml)	paprika
2 c. à soupe (30 ml)	graines de fenouil
1 c. à soupe (15 ml)	graines d'anis
3 c. à soupe (45 ml)	pesto de basilic
2 c. à soupe (30 ml)	câpres
3	filets d'anchois dans l'huile (facultatif)

Bouillon, huiles et vinaigres

4 tasses (1 L)	bouillon de bœuf
4 tasses (1 L)	bouillon de légumes
⅓ tasse (80 ml)	concentré liquide de bœuf
2 c. à soupe (30 ml)	concentré liquide de légumes
2 tasses (500 ml)	huile de canola ou de tournesol

Riz, pains, pâtes et céréales

2 tasses (500 ml)	riz basmati
1 boîte de 1 lb (500 g)	cannellonis
1 boîte de 1 lb (500 g)	spaghettis
⅓ tasse (80 ml)	chapelure italienne

Noix, graines et légumineuses

⅓ tasse (80 ml)	pignons (noix de pin)
2 c. à soupe (30 ml)	amandes moulues
1 tasse (250 ml)	pois chiches (en conserve)

Fonds de cuisine

2 c. à soupe (30 ml)	fécule de maïs
3 c. à soupe (45 ml)	miel
	sel et poivre en quantité suffisante

Divers

¼ tasse (60 ml)	vin rouge sec

10

Au menu cette semaine

1
2
3
4
5
6
7
8
9
10
11
12
13
14
15
16
17
18
19
20

liste des ingrédients pour chaque repas

CÔTES LEVÉES ET PILONS DE POULET À L'ORANGE ET AU SÉSAME

Les ingrédients

12 tasses (3 L)	eau
1 c. à soupe (15 ml)	sel
1 ¼ tasse (310 ml)	sauce soya
1 ½ tasse (375 ml)	cassonade
4 lb (2 kg)	côtes levées de porc
2 lb (1 kg)	pilons de poulet

Le temps nécessaire: 10 minutes de préparation + 1 h 30 de cuisson

 Nécessaire pour le gratin et les tortellinis

La marinade

6	gousses d'ail hachées
2 c. à soupe (30 ml)	gingembre frais râpé
3 c. à soupe (45 ml)	graines de sésame grillées
3 c. à soupe (45 ml)	jus de citron
1 c. à thé (5 ml)	piments séchés
3 c. à soupe (45 ml)	marmelade d'oranges
1 c. à thé (5 ml)	fumée liquide (facultatif)
1 ½ tasse (375 ml)	sauce hoisin
¼ tasse (60 ml)	huile de sésame

Le temps nécessaire:
10 minutes de préparation

Vous trouverez la sauce hoisin dans toutes les épiceries au rayon des produits asiatiques. Une fois que vous l'aurez essayée, vous voudrez en mettre partout!

FAJITAS AU COUSCOUS ET AU SAUMON

Les ingrédients

2 tasses (500 ml)	roquette hachée
4	grandes tortillas de blé
12	asperges

Le couscous

1 ¼ tasse (310 ml)	bouillon de légumes
1 tasse (250 ml)	semoule de blé moyenne
1 c. à soupe (15 ml)	beurre
1 c. à soupe (15 ml)	huile d'olive (pour la semoule)
1 lb (500 g)	filets de saumon frais sans la peau
3 c. à soupe (45 ml)	huile de canola ou de tournesol (pour les légumes)
½	poivron (couleur au choix) coupé en dés
1	petite courgette coupée en dés
¾ tasse (180 ml)	canneberges séchées
	sel et poivre, au goût
	mayonnaise (voir recette)

Le temps nécessaire: 20 minutes de préparation + 10 minutes de cuisson

GRATIN DE LÉGUMES ET DE POULET ÉPICÉ

Les ingrédients

10	tranches de bacon
1	tête de brocoli coupée en bouquets
1	chou-fleur coupé en bouquets
La moitié	pilons de poulet préparés avec les côtes levées
2 tasses (500 ml)	mélange de 6 fromages italiens râpés (pour gratiner)

La béchamel

¼ tasse (60 ml)	beurre
¼ tasse (60 ml)	farine
2 tasses (500 ml)	lait très froid
1 c. à thé (5 ml)	graines d'anis
1 c. à soupe (15 ml)	thym séché
1 c. à soupe (15 ml)	moutarde de Dijon
¾ tasse (180 ml)	mélange de 6 fromages italiens râpés

Le temps nécessaire: 10 minutes de préparation + 20 minutes de cuisson

TORTELLINIS AU POULET ET AU BACON

Les ingrédients

1 paquet de 1 lb (500 g)	tortellinis au fromage
⅓ tasse (80 ml)	huile de canola ou de tournesol (pour les pâtes)
3 c. à soupe (45 ml)	huile de canola ou de tournesol (pour la garniture)
½	poivron (couleur au choix) coupé en dés
6	tomates séchées dans l'huile coupées en dés
4	gousses d'ail hachées
1 ½ tasse (375 ml)	poireaux hachés finement
2 c. à soupe (30 ml)	mélange d'herbes italiennes
1 ½ tasse (375 ml)	tomates italiennes en dés (en conserve)
10	tranches de bacon
La moitié	pilons de poulet préparés avec les côtes levées
2 c. à soupe (30 ml)	pesto de basilic ou de tomates séchées
3 tasses (750 ml)	jeunes pousses d'épinards
1 pincée	muscade (facultatif)
2 c. à soupe (30 ml)	miel
	fromage parmesan frais râpé pour garnir, si désiré

Le temps nécessaire: 15 minutes de préparation + 10 minutes de cuisson

DARNES D'ESPADON GRILLÉES

Les ingrédients

4	darnes d'espadon d'environ 7 oz (200 g) chacune
1 c. à soupe (15 ml)	huile de canola ou de tournesol
	sel et poivre, au goût
	mayonnaise au bleu et à l'anis (voir recette)

Le temps nécessaire: 5 minutes

SALADE À LA GRECQUE

Les ingrédients

4	tomates coupées en quartiers
3 tasses (750 ml)	champignons coupés en 4
2	oignons rouges moyens coupés en rondelles
1	petit bulbe de fenouil coupé en lamelles
½ tasse (125 ml)	poireaux hachés
1	concombre moyen, non pelé et coupé en tranches
2 tasses (500 ml)	fromage feta en cubes
15	olives noires dénoyautées
½ tasse (125 ml)	huile d'olive
3 c. à soupe (45 ml)	vinaigre de vin rouge
3 c. à soupe (45 ml)	mélange d'épices grecques
	sel et poivre, au goût

Le temps nécessaire:
10 minutes de préparation

MAYONNAISE AU BLEU ET À L'ANIS

Les ingrédients

2	gros blancs d'œufs
2 c. à soupe (30 ml)	moutarde de Dijon
2	échalotes françaises hachées
2	gousses d'ail hachées
1 c. à thé (5 ml)	graines d'anis
2 c. à soupe (30 ml)	vinaigre de cidre de pomme (ou jus de citron)
2 c. à soupe (30 ml)	sirop d'érable
2 tasses (500 ml)	huile de canola ou de tournesol
½ tasse (125 ml)	fromage bleu en morceaux
	sel et poivre, au goût

Le temps nécessaire:
5 minutes de préparation

La note du chef

Les côtes levées

Je ne sais pas si vous pensez comme moi, mais quoi de plus agréable que de manger avec ses doigts, surtout quand c'est permis. Comme c'est bon quand les homards, ailes de poulet, épis de blé d'Inde et compagnie se laissent prendre sans cérémonie!

J'ai donc pensé revoir les traditionnelles recettes de marinade pour pilons de poulet et côtes levées, toujours trop salées ou trop sucrées à mon goût. Pourquoi ne pas ajouter des graines de sésame grillées, de l'ail, du gingembre frais, du jus de citron et de la marmelade d'oranges? Mon intuition était bonne. C'est délicieux! De plus, comme je fais bouillir au préalable les pilons et les côtes levées, c'est beaucoup moins gras.

ÉTAPE 1
CÔTES LEVÉES ET PILONS DE POULET
cuisson de la viande
- Mettre les côtes levées et les pilons de poulet dans une grande casserole, et couvrir d'eau.
- Ajouter la sauce soya et la cassonade, porter à ébullition, puis réduire le feu à faible ébullition.
- Cuire les pilons 20 minutes et les côtes levées 45 minutes.

ÉTAPE 2
CÔTES LEVÉES ET PILONS DE POULET
préparation de la marinade
- Hacher l'ail et râper le gingembre.
- Griller les graines de sésame à sec dans une poêle antiadhésive.
- Mélanger tous les ingrédients de la marinade et réserver.

ÉTAPE 3
FAJITAS
préparation de l'eau pour la cuisson des asperges et du saumon
- Faire bouillir de l'eau salée dans 2 casseroles.

ÉTAPE 4
GRATIN ET TORTELLINIS
cuisson du bacon
- Faites rissoler le bacon dans une poêle antiadhésive.
- Éponger, hacher et réserver dans 2 bols séparés.

ÉTAPE 5
TORTELLINIS
préparation de l'eau pour les pâtes
- Faire bouillir de l'eau salée dans une casserole.

ÉTPE 6
FAJITAS
cuisson des asperges et du saumon
- Couper et jeter le pied des asperges; cuire celles-ci dans l'eau bouillante 1 minute.
- Plonger le saumon dans l'eau bouillante et pocher 5 minutes.

ÉTAPE 7
FAJITAS
fin de la cuisson des asperges
- Égoutter, rincer à l'eau froide, éponger et entreposer au frigo dans un contenant hermétiquement fermé jusqu'au jour J.

ÉTAPE 8
TORTELLINIS
cuisson des pâtes
- Plonger les tortellinis dans l'eau bouillante et cuire tel qu'indiqué sur l'emballage.

ÉTAPE 9
FAJITAS
fin de la cuisson du saumon
- Égoutter le saumon, le défaire à la fourchette et laisser refroidir. Réserver.

ÉTAPE 10
PILONS DE POULET
cuisson au four
- Retirer les pilons de la casserole et éponger.
- Prolonger de 25 minutes la cuisson des côtes levées.
- Chauffer le four à 375 °F (190 °C).
- Tremper les pilons dans la marinade, déposer sur une plaque allant au four et badigeonner de nouveau de marinade.
- Cuire au four 20 minutes.

ÉTAPE 11
FAJITAS
préparation du couscous
- Dans une casserole, porter le bouillon à ébullition.
- Mettre la semoule, le beurre, l'huile, le sel et le poivre dans un saladier. Verser le bouillon peu à peu en mélangeant bien.
- Laisser reposer 5 minutes.

ÉTAPE 12
TORTELLINIS
fin de la cuisson des pâtes
- Égoutter les tortellinis, les remettre dans la casserole, verser l'huile de canola et réserver.

ÉTAPE 13
FAJITAS
préparation du couscous (suite)
- Une fois le liquide complètement absorbé, remuer le mélange de façon à ce que les grains de semoule se séparent. Réserver.

ÉTAPE 14
PILONS DE POULET
cuisson au four (suite)
- Après 10 minutes de cuisson, badigeonner de nouveau et poursuivre la cuisson pendant 10 minutes.

ÉTAPE 15
GRATIN
préparation de l'eau pour le blanchiment
- Mettre une casserole d'eau salée à bouillir.
- Couper le brocoli et le chou-fleur en bouquets.

ÉTAPE 16
GRATIN
préparation de la béchamel
- Fondre le beurre dans une casserole. Incorporer la farine de façon

à obtenir une pâte homogène.
- Ajouter le lait très froid en filet en remuant constamment jusqu'à l'obtention d'une sauce crémeuse.
- Incorporer les graines d'anis, le thym et la moutarde.
- Laisser épaissir, puis ajouter le mélange de fromages italiens. Réserver.

ÉTAPE 17
PILONS DE POULET
fin de la cuisson au four
- Sortir les pilons du four, les désosser et les couper grossièrement.
- En réserver la moitié pour les tortellinis et l'autre pour le gratin.

ÉTAPE 18
GRATIN
blanchiment des légumes
- Plonger le brocoli et le chou-fleur dans l'eau bouillante salée et cuire 3 minutes.

ÉTAPE 19
CÔTES LEVÉES
cuisson au four
- Retirer les côtes levées de la casserole et éponger.
- Tremper dans la marinade, déposer sur une plaque allant au four et badigeonner à nouveau de marinade.
- Cuire au four pendant 20 minutes à 375 °F (190 °C).

ÉTAPE 20
GRATIN
montage
- Égoutter le brocoli et le chou-fleur et déposer dans un plat de pyrex (3 L).
- Ajouter le poulet et le bacon, puis couvrir de béchamel.
- Ajouter le mélange de 6 fromages italiens et cuire au four 20 minutes ou jusqu'à ce qu'il soit bien gratiné.

ÉTAPE 21
TORTELLINIS
**préparation de la garniture,
montage et entreposage**
- Couper les légumes et faire revenir dans l'huile à feu vif.
- Ajouter le mélange d'herbes italiennes, les tomates en dés, le bacon, le poulet, le pesto, les épinards, la muscade et le miel.
- Combiner avec les pâtes, laisser refroidir et entreposer au frigo dans un contenant hermétiquement fermé.

La conservation: 5 jours

Le Jour J: Réchauffer doucement à la poêle ou au micro-ondes. Au moment de servir, saupoudrer d'un peu de fromage parmesan frais râpé si désiré.

ÉTAPE 22
CÔTES LEVÉES
cuisson au four (suite)
- Après 10 minutes de cuisson, badigeonner de nouveau et poursuivre la cuisson 10 minutes.

DARNES
D'ESPADON
GRILLÉES

ÉTAPE 23
FAJITAS
**cuisson des légumes et entreposage
du couscous**
- Couper le poivron et la courgette.
- Saisir dans l'huile avec les canneberges environ 3 minutes, juste pour les colorer (ils doivent rester croquants).
- Combiner avec le saumon et la semoule, laisser refroidir et entreposer au frigo dans un contenant hermétiquement fermé.

La conservation: 3 jours

Le Jour J: Déposer le couscous préalablement réchauffé dans les tortillas, Ajouter les asperges et la roquette. Servir accompagné de mayonnaise au bleu et à l'anis.

ÉTAPE 24
SALADE
montage et entreposage
- Couper les légumes et le fromage.
- Ajouter les olives et entreposer au frigo dans un contenant hermétiquement fermé.
- Dans un autre contenant fermant hermétiquement, mélanger l'huile, le vinaigre de vin, les épices grecques, le sel et le poivre. Entreposer au frigo.

La conservation: 5 jours

Le jour J: Combiner la salade et la vinaigrette, et servir avec les darnes d'espadon et la mayonnaise au bleu et à l'anis.

ÉTAPE 25
GRATIN
fin de la cuisson et entreposage
- Sortir le plat du four, laisser refroidir, emballer hermétiquement et entreposer au frigo.

La conservation: 5 jours

Le jour J: Réchauffer 15 minutes au four à 375 °F (190 °C) ou doucement au micro-ondes.

ÉTAPE 26
MAYONNAISE
préparation et entreposage
- Dans un bol étroit, mettre les blancs d'œufs, la moutarde, les échalotes, l'ail, les graines d'anis, le vinaigre de cidre, le sirop d'érable, le sel et le poivre.
- Broyer à l'aide d'un mélangeur à main.
- Ajouter l'huile et actionner le mélangeur en remontant doucement le pied de l'appareil jusqu'à émulsion.
- Ajouter le fromage bleu et mélanger quelques secondes de plus.
- Entreposer au frigo dans un contenant hermétiquement fermé.

La conservation: 7 jours

Le jour J: Servir avec les darnes d'espadon et les fajitas.

ÉTAPE 27
CÔTES LEVÉES
fin de la cuisson et entreposage
- Sortir les côtes levées du four, laisser refroidir et entreposer au frigo dans un plat hermétiquement fermé.

La conservation: 4 jours

Le jour J: Réchauffer 15 minutes au four à 375 °F (190 °C) ou doucement au micro-ondes. Si désiré, accompagner de salade à la grecque.

ÉTAPE 28
DARNES
Le jour J: Chauffer l'huile dans une poêle et saisir les darnes 2 minutes de chaque côté. Saler et poivrer au goût. Servir avec la salade à la grecque et la mayonnaise au bleu et à l'anis.

Repérer vos recettes préférées

CÔTES LEVÉES ET PILONS DE POULET À L'ORANGE ET AU SÉSAME	étapes 1, 2, 10, 14, 17, 19, 22 et 27
FAJITAS AU COUSCOUS ET AU SAUMON	étapes 3, 6, 7, 9, 11, 13, 23 et 26
GRATIN DE LÉGUMES ET DE POULET ÉPICÉ	étapes 4, 15, 16, 18, 20 et 25
TORTELLINIS AU POULET ET AU BACON	étapes 4, 5, 8, 12 et 21
DARNES D'ESPADON GRILLÉES	étapes 24, 26 et 28
SALADE À LA GRECQUE, ET MAYONNAISE AU BLEU ET À L'ANIS	étapes 24 et 26

liste d'épicerie de la semaine 10 ✓

Fruits et légumes

2	oignons rouges moyens
12	gousses d'ail
1	poivron (couleur au choix)
1	petite courgette
1	brocoli
1	chou-fleur
3 tasses (750 ml)	champignons
2 tasses (500 ml)	poireaux hachés
1	petit bulbe de fenouil
4	tomates
1	concombre moyen
2 tasses (500 ml)	roquette hachée
12	asperges
2	échalotes françaises
3 tasses (750 ml)	jeunes pousses d'épinards
1 ½ tasse (375 ml)	tomates italiennes en dés (en conserve)
6	tomates séchées dans l'huile
15	olives noires dénoyautées
3 c. à soupe (45 ml)	jus de citron
¾ tasse (180 ml)	canneberges séchées

Œufs et produits laitiers

2	gros œufs
9 oz (275 g)	mélange de 6 fromages italiens râpés
10 ½ oz (300 g)	fromage feta
3 ½ oz (100 g)	fromage bleu
2 tasses (500 ml)	lait
⅓ tasse (80 ml)	beurre

Viandes, poissons et fruits de mer

4 lb (2 kg)	côtes levées de porc
20	tranches de bacon
2 lb (1 kg)	pilons de poulet
4	darnes d'espadon d'environ 7 oz (200 g) chacune
1 lb (500 g)	filets de saumon frais sans la peau

Herbes, épices, sauces et condiments

2 c. à soupe (30 ml)	gingembre frais
3 c. à soupe (45 ml)	mélange d'épices grecques
2 c. à soupe (30 ml)	mélange d'herbes italiennes
2 c. à thé (10 ml)	graines d'anis
1 c. à thé (5 ml)	piments séchés
1 c. à soupe (15 ml)	thym séché
1 pincée	muscade
1 ¼ tasse (310 ml)	sauce soya
1 ½ tasse (375 ml)	sauce hoisin
3 c. à soupe (45 ml)	moutarde de Dijon
2 c. à soupe (30 ml)	pesto de basilic
1 c. à thé (5 ml)	fumée liquide (facultatif)

Bouillons, huiles et vinaigres

1 ¼ tasse (310 ml)	bouillon de légumes
3 tasses (750 ml)	huile de canola ou de tournesol
¼ tasse (60 ml)	huile de sésame
⅔ tasse (160 ml)	huile d'olive
2 c. à soupe (30 ml)	vinaigre de cidre de pomme (ou jus de citron)
3 c. à soupe (45 ml)	vinaigre de vin rouge

Riz, pains, pâtes et céréales

4	grandes tortillas de blé
1 paquet de 1 lb (500 g)	tortellinis au fromage
1 tasse (250 ml)	semoule de blé moyenne

Noix, graines et légumineuses

3 c. à soupe (45 ml)	graines de sésame

Fonds de cuisine

1 ½ tasse (375 ml)	cassonade
2 c. à soupe (30 ml)	sirop d'érable
2 c. à soupe (30 ml)	miel
¼ tasse (60 ml)	farine
	sel et poivre en quantité suffisante

Divers

3 c. à soupe (45 ml)	marmelade d'oranges

Au menu cette semaine

A

POMMES DE TERRE BOULANGÈRE AU FENOUIL

B

POULETS FARCIS AUX HERBES FRAÎCHES ET À LA MOUTARDE

C

ROULADES D'ASPERGES EN BÉCHAMEL

D

FETTUCINES AUX ÉPINARDS ET AU CRABE

E

CIABATTAS AU POULET CHAUD ET AUX CHAMPIGNONS

F

SALADE CÉSAR AU CRABE ET AU CHÈVRE

1
2
3
4
5
6
7
8
9
10
11
12
13
14
15
16
17
18
19
20

liste des ingrédients pour chaque repas

POMMES DE TERRE BOULANGÈRE AU FENOUIL

Les ingrédients

2 lb (1 kg)	pommes de terre jaunes (5 ou 6), pelées et coupées en fines tranches
2	bulbes de fenouil coupés en fines tranches
3	oignons moyens coupés en fines tranches
2 tasses (500 ml)	bouillon de poulet
2 c. à soupe (30 ml)	concentré liquide de poulet
2 c. à soupe (30 ml)	mélange d'herbes italiennes
¾ tasse (180 ml)	marinade (voir recette de poulets farcis)
	sel et poivre, au goût

Le temps nécessaire: 10 minutes de préparation + 1 h 25 de cuisson

ROULADES D'ASPERGES EN BÉCHAMEL

Les ingrédients

12	minces tranches de poitrine de dinde
12	minces tranches de jambon blanc
36	asperges
La moitié	poivrons grillés (voir recette)
	feuilles de basilic frais
4 tasses (1 L)	béchamel (voir recette)

Le temps nécessaire: 5 minutes de préparation + 30 minutes de cuisson

POULETS FARCIS AUX HERBES FRAÎCHES ET À LA MOUTARDE

Les ingrédients

2	poulets entiers d'au moins 4 lb (2 kg) chacun

Marinade

16	tiges de coriandre fraîche hachées (environ 1 bouquet)
16	tiges d'estragon frais hachées (environ 1 bouquet)
2	tiges de romarin frais hachées
10	gousses d'ail hachées
½ tasse (125 ml)	moutarde de Dijon
⅔ tasse (160 ml)	vinaigre balsamique
2 tasses (500 ml)	huile d'olive
2 c. à soupe (30 ml)	miel
⅓ tasse (80 ml)	concentré liquide de poulet
1 c. à soupe (15 ml)	poivre

Le temps nécessaire: 5 minutes de préparation + 1 heure et demie de cuisson

FETTUCINES AUX ÉPINARDS ET AU CRABE

Les ingrédients

1 boîte de 1 lb (500 g)	fettucines aux épinards
⅓ tasse (80 ml)	huile de canola ou de tournesol (pour les pâtes)
¼ tasse (60 ml)	huile de canola ou de tournesol (pour la garniture)
6	tranches de pancetta hachées finement
3	oignons verts tranchés
4	gousses d'ail hachées
½	citron (le zeste et le jus)
Le quart	poivrons grillés (voir recette)
3 tasses (750 ml)	jeunes pousses d'épinards
2 c. à soupe (30 ml)	miel
1 tasse (250 ml)	crème à cuisson (15 %)
3 c. à soupe (45 ml)	fromage parmesan frais râpé
½ tasse (125 ml)	fromage feta émietté
3 boîtes de 4 oz (120 g)	crabe

Le temps nécessaire: 10 minutes de préparation + 10 minutes de cuisson

CIABATTAS AU POULET CHAUD ET AUX CHAMPIGNONS

Les ingrédients

4	pains ciabattas
3 c. à soupe (45 ml)	huile de canola ou de tournesol
2 c. à soupe (30 ml)	beurre
8 oz (225 g)	champignons coupés en lamelles
¾ tasse (180 ml)	petits pois surgelés
¾ tasse (180 ml)	maïs surgelé
2 tasses (500 ml)	jeunes pousses d'épinards
2 tasses (500 ml)	béchamel (voir recette)
½	poulet farci décortiqué (voir recette)
Le quart	poivrons grillés (voir recette) sel et poivre, au goût

Le temps nécessaire: 10 minutes de préparation + 5 minutes de cuisson

SALADE CÉSAR AU CRABE ET AU CHÈVRE

Les ingrédients

2	cœurs de laitue romaine
4 boîtes de 4 oz (120 g)	crabe
10	asperges
½	poulet farci décortiqué (voir recette)
1 ½ tasse (375 ml)	croûtons à l'ail

Vinaigrette

⅓ tasse (80 ml)	graines de sésame grillées
2	échalotes françaises
4	gousses d'ail
2 c. à soupe (30 ml)	vinaigre de cidre de pomme
2 c. à soupe (30 ml)	huile de sésame
½ tasse (125 ml)	crème à cuisson (15 %)
½ tasse (125 ml)	fromage de chèvre à pâte molle
½ tasse (125 ml)	fromage cottage
3 c. à soupe (45 ml)	fromage parmesan frais râpé
	sel et poivre, au goût

Le temps nécessaire:
10 minutes de préparation

POIVRONS GRILLÉS POUR LES ROULADES, LES FETTUCINES ET LES CIABATTAS

Les ingrédients

7	poivrons (couleur au choix) coupés en lanières
⅓ tasse (80 ml)	huile de canola ou de tournesol
¼ tasse (60 ml)	fromage parmesan frais râpé
	sel et poivre, au goût

Le temps nécessaire: 10 minutes de préparation + 10 minutes de cuisson

 Nécessaire pour les roulades, les fettucines et les ciabattas

BÉCHAMEL POUR LES ROULADES ET LES CIABATTAS

Les ingrédients

½ tasse (125 ml)	beurre
½ tasse (125 ml)	farine
6 tasses (1,5 L)	lait
1 c. à soupe (15 ml)	graines de fenouil
1 c. à thé (5 ml)	curcuma
2 c. à soupe (30 ml)	moutarde de Dijon
1 paquet de 10 ½ oz (300 g)	mélange à fondue au fromage Kinsey
	sel et poivre, au goût

Le temps nécessaire: 10 minutes de préparation + 15 minutes de cuisson

 Nécessaire pour les roulades et les ciabattas

La note du chef

Les poulets farcis... à votre goût!

Nos mères avaient l'habitude de remplir les poulets de carottes et d'oignons. Mais que diriez-vous d'aromatiser directement la chair en insérant sous la peau les aromates de votre choix?
Je vous propose donc une marinade aux parfums
de coriandre, d'estragon et de romarin frais.
Vous pouvez tout aussi bien y mettre du fromage
de chèvre, des tiges de citronnelle fraîches,
des gousses d'ail, etc.

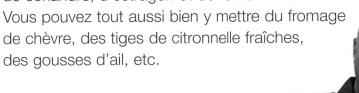

La semaine 11, étape par étape...

ÉTAPE 1
FETTUCINES, ROULADES ET SALADE
préparation de l'eau pour la cuisson des pâtes et des asperges
- Faire bouillir de l'eau salée dans deux casseroles.
- Préchauffer le four à 325 °F (170 °C).

ÉTAPE 2
POMMES DE TERRE BOULANGÈRE
préparation des légumes
- Peler et couper les pommes de terre et réserver dans un bol d'eau froide.
- Couper l'oignon et le fenouil en fines tranches, et réserver.

ÉTAPE 3
FETTUCINES, ROULADES ET SALADE
cuisson des pâtes et des asperges
- Couper le pied des asperges et blanchir celles-ci dans l'eau bouillante 3 minutes.
- Cuire les fettucines environ 10 minutes ou tel qu'indiqué sur l'emballage.

FETTUCINES AUX ÉPINARDS ET AU CRABE

ÉTAPE 4
POULETS
préparation de la marinade
- Déposer tous les ingrédients de la marinade dans le bol du robot culinaire et actionner l'appareil 30 secondes de façon à obtenir un mélange homogène.
- Réserver ¾ tasse (180 ml) pour les pommes de terre.

ÉTAPE 5
POULETS
cuisson
- Décoller (sans la retirer) la peau des poulets avec les mains.
- Déposer le tiers de la marinade restante entre la chair et la peau, puis dans la cavité des volailles.
- Badigeonner l'extérieur des poulets, et cuire au four 90 minutes ou jusqu'à ce qu'ils soient bien cuits.
- Prévoir de badigeonner à nouveau de marinade à la mi-cuisson.

Le poulet devrait toujours être consommé bien cuit. Le temps de cuisson est donné à titre indicatif, puisque la chaleur des fours domestiques est variable. L'utilisation d'un thermomètre à viande est donc conseillée. Insérez-le dans la partie la plus charnue de la cuisse (sans toucher l'os). La Fédération des producteurs de volailles du Québec recommande une température interne de 166 °F (74 °C).

ÉTAPE 6
ROULADES ET SALADE
fin de la cuisson des asperges
- Retirer les asperges de l'eau, rincer à l'eau froide, égoutter.
- En emballer 10 hermétiquement et les garder au frigo pour la salade.
- Réserver les autres pour les roulades.

ÉTAPE 7
POMMES DE TERRE
montage et cuisson
- Déposer la moitié des pommes de terre bien épongées dans un plat en pyrex (3 L) beurré; saler et poivrer.
- Couvrir de fenouil et d'oignons.
- Terminer avec le reste des pommes de terre; saler et poivrer.
- Mélanger le bouillon et le concentré de poulet, verser dans le plat, saupoudrer d'herbes italiennes, puis ajouter la marinade réservée.
- Couvrir de papier d'aluminium et cuire au four 1 h 25, à 375 °F (190 °C).

ÉTAPE 8
FETTUCINES
fin de la cuisson des pâtes
- Retirer les fettucines de l'eau, égoutter, verser l'huile de canola et réserver.

ÉTAPE 9
ROULADES, FETTUCINES ET CIABATTAS
cuisson des poivrons grillés
- Couper les poivrons en lanières.
- Chauffer l'huile dans une poêle et faire griller; saler et poivrer.
- Éponger avec du papier absorbant et saupoudrer de parmesan.
- Réserver dans 3 bols: la moitié pour les roulades, le quart pour les ciabattas et l'autre quart pour les fettucines.

ÉTAPE 10
ROULADES
montage
- Disposer les tranches de poitrine de dinde sur le plan de travail.
- Mettre sur chacune 2 feuilles de basilic, 1 tranche de jambon et 3 asperges.
- Répartir également les poivrons grillés prévus pour cette recette.
- Rouler serré chaque assemblage.

ÉTAPE 11
ROULADES ET CIABATTAS
préparation de la béchamel
- Faire fondre le beurre dans une casserole.
- Ajouter la farine en pluie et cuire de 2 à 3 minutes jusqu'à l'obtention d'une boule.
- Incorporer le lait en filet jusqu'à l'obtention d'une sauce onctueuse, puis retirer du feu.
- Incorporer les graines de fenouil, le curcuma, la moutarde et le mélange à fondue au fromage. Saler et poivrer.
- Réserver dans 2 bols: les deux tiers pour les roulades et l'autre tiers pour les ciabattas.

ÉTAPE 12
POULETS
second badigeonnage
- Badigeonner les poulets de marinade et poursuivre la cuisson.

ÉTAPE 13
ROULADES
montage et cuisson
- Verser la moitié de la béchamel prévue dans un plat de pyrex (3 L), déposer les rouleaux préparés et couvrir du reste de la béchamel.
- Cuire au four 30 minutes à 375 °F (190 °C).

Si votre four n'est pas assez spacieux pour y ajouter un autre plat, réserver les roulades au frigo jusqu'à ce que les pommes de terre ou les poulets soient cuits.

1
2
3
4
5
6
7
8
9
10
11
12
13
14
15
16
17
18
19
20

ÉTAPE 14
FETTUCINES
montage et entreposage
- Couper la pancetta et les légumes.
- Râper le parmesan et le zeste de citron; presser le jus du citron.
- Dans une casserole, faire revenir dans l'huile et à feu vif la pancetta, jusqu'à ce qu'elle soit dorée et croustillante.
- Ajouter les oignons verts, l'ail, le zeste et les poivrons grillés.
- Bien mélanger et ajouter les épinards, le jus de citron et le miel, puis la crème, le parmesan, la feta et le crabe égoutté.
- Laisser réduire jusqu'à consistance désirée.
- Combiner avec les pâtes, laisser refroidir et entreposer au frigo dans un plat hermétiquement fermé.

La conservation: 4 jours

Le jour J: Réchauffer doucement à la poêle ou au micro-ondes.

Les crèmes dites «champêtre» et «à l'ancienne» vendues dans les épiceries sont aussi des crèmes à cuisson.

ÉTAPE 15
ROULADES
fin de la cuisson et entreposage
- Sortir le plat du four, laisser refroidir, emballer hermétiquement et entreposer au frigo.

La conservation: 4 jours

Le jour J: Réchauffer 20 minutes au four à 375 °F (190 °C).

ÉTAPE 16
POMMES DE TERRE
fin de la cuisson et entreposage
- Sortir le plat du four, laisser refroidir, emballer hermétiquement et entreposer au frigo.

La conservation: 3 jours

Le jour J: Réchauffer doucement 15 minutes au four à 325 °F (170 °C).

ÉTAPE 17
POULETS
fin de la cuisson et entreposage
- Sortir le plat du four et laisser refroidir.
- Emballer hermétiquement l'un des poulets et entreposer au frigo.
- Décortiquer l'autre poulet.
- Réserver une moitié pour les ciabattas et l'autre pour la salade.

La conservation: 5 jours

Le jour J: Réchauffer le poulet entier 15 minutes au four à 375 °F (190 °C). Couper en 4 morceaux et servir avec les pommes de terre boulangère.

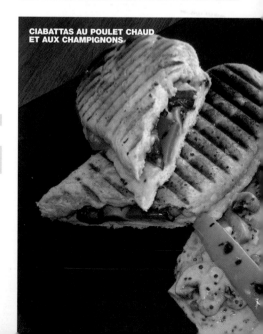

CIABATTAS AU POULET CHAUD ET AUX CHAMPIGNONS

ÉTAPE 18
CIABATTAS
préparation de la garniture et entreposage
- Couper les champignons.
- Faire revenir dans l'huile et le beurre avec les pois, le maïs et les épinards; saler et poivrer.
- Ajouter la béchamel et le poulet décortiqué.
- Laisser refroidir et entreposer au frigo dans un plat hermétiquement fermé.

La conservation: 4 jours

Le jour J: Ouvrir les ciabattas, y verser un filet d'huile d'olive et griller au four à 375 °F (190 °C), pendant 5 minutes. Garnir ensuite chaque demi-pain de poivrons grillés et de garniture au poulet.

ÉTAPE 19
SALADE
préparation de la vinaigrette et entreposage
- Râper le parmesan.

- Dans une poêle antiadhésive, griller les graines de sésame à sec et à feu vif en les surveillant constamment pour qu'elles ne brûlent pas.
- Mettre les échalotes françaises dans le bol du robot culinaire avec l'ail, le vinaigre de cidre, l'huile de sésame, la crème, les fromages, le sel, le poivre et la moitié des graines de sésame.
- Mélanger jusqu'à l'obtention d'une vinaigrette crémeuse.
- Entreposer au frigo dans un contenant hermétiquement fermé.
- Réserver le reste des graines de sésame à la température de la pièce dans un contenant hermétiquement fermé.

La conservation: 5 jours

Le jour J: Couper la laitue. Ajouter le crabe égoutté, les asperges, le poulet et les croûtons. Napper de vinaigrette, saupoudrer de graines de sésame grillées et servir.

Repérer vos recettes préférées

POMMES DE TERRE BOULANGÈRE AU FENOUIL	étapes 2, 7 et 16
POULETS FARCIS AUX HERBES FRAÎCHES ET À LA MOUTARDE	étapes 4, 5, 12 et 17
ROULADES D'ASPERGES EN BÉCHAMEL	étapes 1, 3, 6, 9, 10, 11, 13 et 15
FETTUCINES AUX ÉPINARDS ET AU CRABE	étapes 1, 3, 8, 9 et 14
CIABATTAS AU POULET CHAUD ET AUX CHAMPIGNONS	étapes 9, 11 et 18
SALADE CÉSAR AU CRABE ET AU CHÈVRE	étapes 1, 3, 6 et 19

liste d'épicerie de la semaine 11 ☑

Fruits et légumes

3	oignons
7	poivrons (couleur au choix)
18	gousses d'ail
2	cœurs de laitues romaines
46	asperges
2 lb (1 kg)	pommes de terre jaunes (5 ou 6)
5 tasses (1,25 L)	jeunes pousses d'épinards
8 oz (225 g)	champignons
2	bulbes de fenouil
3	oignons verts
2	échalotes françaises
¾ tasse (180 ml)	petits pois surgelés
¾ tasse (180 ml)	maïs surgelé
1	citron

Œufs et produits laitiers

5 oz (150 g)	fromage de chèvre frais
5 oz (150 g)	fromage cottage
3 ½ oz (100 g)	fromage feta
2 ½ oz (70 g)	fromage parmesan frais râpé
1 paquet	mélange à fondue au fromage Kinsey 10 ½ oz (300 g)
6 tasses (1,5 L)	lait
1 ½ tasse (375 ml)	crème à cuisson (15 %)
⅔ tasse (160 ml)	beurre

Viandes, poissons et fruits de mer

12	minces tranches de poitrine de dinde
12	minces tranches de jambon blanc
6	tranches de pancetta
2	poulets d'au moins 4 lb (2 kg) chacun
7 boîtes de 4 oz (120 g)	crabe

Herbes, épices, sauces et condiments

16	tiges de coriandre fraîche (environ 1 bouquet)
16	tiges d'estragon frais (environ 1 bouquet)
2	tiges de romarin frais
24	feuilles de basilic
2 c. à soupe (30 ml)	mélange d'herbes italiennes
1 c. à thé (5 ml)	curcuma
1 c. à soupe (15 ml)	graines de fenouil
⅔ tasse (160 ml)	moutarde de Dijon

Bouillons, huiles et vinaigres

2 tasses (500 ml)	bouillon de poulet
½ tasse (125 ml)	concentré liquide de poulet
1 ¼ tasse (310 ml)	huile de canola ou de tournesol
2 tasses (500 ml)	huile d'olive
2 c. à soupe (30 ml)	huile de sésame
⅔ tasse (160 ml)	vinaigre balsamique
2 c. à soupe (30 ml)	vinaigre de cidre de pomme

Riz, pains, pâtes et céréales

4	pains ciabattas
1 ½ tasse (375 ml)	croûtons à l'ail
1 boîte de 1 lb (500 g)	fettucines aux épinards

Noix, graines et légumineuses

⅓ tasse (80 ml)	graines de sésame grillées

Fonds de cuisine

½ tasse (125 ml)	farine
¼ tasse (60 ml)	miel
	sel et poivre en quantité suffisante

1
2
3
4
5
6
7
8
9
10
11
12
13
14
15
16
17
18
19
20

12

Au menu cette semaine

liste des ingrédients pour chaque repas

MOUSSAKA D'AGNEAU À LA RICOTTA, AU CHÈVRE ET À L'ANIS

Les ingrédients

2 lb (1 kg)	agneau haché (ou viande hachée au choix)
1	aubergine moyenne d'environ 1 lb (500 g), pelée et coupée en rondelles
1	courgette moyenne coupée en rondelles
1 c. à soupe (15 ml)	sel (pour faire dégorger l'aubergine et la courgette)
¼ tasse (60 ml)	huile d'olive
¼ tasse (60 ml)	huile de canola ou de tournesol
1 tasse (250 ml)	poireau haché
8	abricots séchés hachés
½ tasse (125 ml)	raisins dorés
8	pruneaux, dénoyautés et hachés
¾ tasse (180 ml)	pois chiches en conserve égouttés
2	branches de céleri coupées en dés
3	carottes moyennes, épluchées et coupées en dés
1 c. à soupe (15 ml)	graines d'anis
¼ tasse (60 ml)	chapelure italienne
½ tasse (125 ml)	bouillon de poulet
2 c. à soupe (30 ml)	concentré liquide de poulet
2 tasses (500 ml)	fromage ricotta
½ tasse (125 ml)	fromage de chèvre frais
	sel et poivre, au goût

Mélange chapelure-parmesan

3 c. à soupe (45 ml)	parmesan frais râpé
3 c. à soupe (45 ml)	chapelure italienne

Le temps nécessaire: 20 minutes de préparation + 1 heure de cuisson

PAELLA DE LA MÉDITERRANÉE

Les ingrédients
Riz safrané

2 tasses (500 ml)	riz basmati
1 c. à soupe (15 ml)	graines d'anis
½	citron (le zeste)
4 tasses (1 L)	bouillon de poulet
1 c. à soupe (15 ml)	concentré liquide de poulet
¼ tasse (60 ml)	huile d'olive
½ c. à thé (2 ml)	safran espagnol

Paella

2	branches de céleri coupées en dés
2	carottes moyennes coupées en dés
2	poivrons (vert et rouge) coupés en dés
15	olives noires en conserve, dénoyautées et coupées en 2
1 boîte de 6 oz (170 g)	crabe
1 petite boîte	palourdes
1 boîte de 6 oz (170 g)	thon émietté dans l'eau
8 oz (250 g)	petits pétoncles
8 oz (250 g)	crevettes nordiques, cuites et décortiquées
	moules cuites, avec leur coquille (voir recette)

Le temps nécessaire: 15 minutes de préparation + 40 minutes de cuisson

COUSCOUS D'AGNEAU AUX RAISINS ET AUX AMANDES

Les ingrédients
Semoule

4 tasses (1 L)	bouillon de poulet
2 c. à soupe (30 ml)	bouillon concentré de poulet (liquide)
2 tasses (500 ml)	couscous (semoule)
¼ tasse (60 ml)	raisins secs
½ tasse (125 ml)	amandes grillées entières
8	pruneaux, dénoyautés et coupés en 2
3 c. à soupe (45 ml)	beurre

Préparation légumes-agneau

3 c. à soupe (45 ml)	huile de canola ou de tournesol
1	courgette moyenne coupée en dés
2	branches de céleri coupées en dés
3	carottes moyennes coupées en dés
1	oignon coupé en dés
1	rabiole (petit navet) coupée en dés
1 tasse (250 ml)	pois chiches en conserve
1 ½ tasse (375 ml)	maïs surgelé
3	gousses d'ail hachées
½ c. à thé (2 ml)	cumin moulu
1 c. à thé	coriandre moulue
4 tasses (1 L)	bouillon de poulet
¼ tasse (60 ml)	concentré liquide de poulet
La moitié	des boulettes d'agneau préparées (voir recette)

Le temps nécessaire: 15 minutes
de préparation + 35 minutes de cuisson

SOUPE-REPAS DE BOULETTES D'AGNEAU

Les ingrédients

⅓ tasse (80 ml)	huile de canola ou de tournesol
2	oignons verts coupés finement
4	gousses d'ail coupées en fines lamelles
1	courgette moyenne coupée en dés
1 boîte 14 oz (398 ml)	petits maïs entiers
1 boîte 7 oz (200 ml)	pousses de bambou
1	rabiole (petit navet) coupée en dés
1 c. à soupe (15 ml)	gingembre frais haché
1 c. à soupe (15 ml)	graines d'anis
½	orange (le zeste)
3 c. à soupe (45 ml)	sauce tamari
1 c. à soupe (15 ml)	miel ou sirop d'érable
6 tasses (1,5 L)	bouillon de bœuf
2 c. à soupe	concentré liquide de bœuf
La moitié	des boulettes d'agneau préparées (voir recette)
½ paquet de 7 oz (200 g)	vermicelle de riz
10 feuilles	menthe fraîche
	sel et poivre, au goût

Le temps nécessaire: 20 minutes
de préparation + 25 minutes de cuisson

LE CEVICHE DE MON PÈRE

Les ingrédients

2	oignons verts coupés finement
6	olives vertes siciliennes, dénoyautées et coupées en 2
6	olives noires grecques, dénoyautées et coupées en 2
20	moules cuites et décortiquées (voir recette)
1	oignon moyen coupé en fines rondelles
3	poivrons (rouge, orange et jaune) coupés en fines lanières
2	branches de céleri coupées finement
6	tiges de coriandre fraîche
1	piment jalapeño haché finement
4 oz (125 g)	petits pétoncles crus
4 oz (125 g)	grosses crevettes, non cuites et décortiquées
1 c. à soupe (15 ml)	graines d'anis
2 c. à soupe (30 ml)	câpres
1 c. à soupe (15 ml)	pesto de basilic
1 petite boîte	palourdes
8 oz (250 g)	flétan frais coupé en cubes (ou autre poisson ferme)
4	gousses d'ail hachées
¾ tasse (180 ml)	huile de canola ou de tournesol
⅓ tasse (80 ml)	jus de lime
1 c. à soupe	sel
	poivre du moulin, au goût

Le temps nécessaire:
15 minutes de préparation

MOULES MARINIÈRES

Les ingrédients

1 ½ lb (750 g)	moules fraîches
1	oignon moyen coupé en dés
½ tasse (125 ml)	poireau haché
3	gousses d'ail hachées
¾ tasse (180 ml)	vin blanc sec

Le temps nécessaire: 10 minutes
de préparation + environ 10 minutes
de cuisson ou jusqu'à ce que les moules
s'ouvrent

 Nécessaire pour la paella et le ceviche

BOULETTES D'AGNEAU

Les ingrédients

2 lb (1 kg)	agneau haché
2 c. à soupe (30 ml)	gingembre frais haché
¼ tasse (60 ml)	sauce tamari
¼ tasse (60 ml)	sauce aux huîtres
¼ tasse (60 ml)	épices grecques
2	gros œufs
¼ tasse (60 ml)	chapelure italienne

Le temps nécessaire: 10 minutes
de préparation + 20 minutes de cuisson

 Nécessaire pour le couscous
et la soupe-repas

La note du chef

Le ceviche de mon père

Le ceviche nous vient du Pérou. Il s'agit tout simplement de chair de poisson cru que l'on fait mariner dans du jus de citron avec des oignons émincés, des morceaux de tomates, de la lime et des tronçons d'épis de maïs. Comme le jus de lime a pour effet de cuire le poisson, c'est là une façon pratique de conserver le poisson frais que les pêcheurs apportent chaque jour au village.

«À partir de cette recette tradition-nelle, tout est permis!» a dû se dire mon père en 1969 quand, de retour d'un long voyage en Amérique du Sud, il a créé SON ceviche, aujourd'hui connu dans la famille sous le nom de Ceviche de papa. Bienvenue dans la famille!

MOUSSAKA D'AGNEAU
À LA RICOTTA, AU CHÈVRE
ET À L'ANIS

ÉTAPE 1
MOUSSAKA
préparation des légumes
- Peler l'aubergine et la couper en rondelles.
- Couper la courgette, et la faire dégorger avec l'aubergine dans un bol avec l'huile d'olive et le sel.
- Réserver.

ÉTAPE 2
PAELLA
cuisson du riz
- Rincer le riz jusqu'à ce que l'eau soit claire.
- Le mettre ensuite dans une grande casserole avec les graines d'anis, le zeste de citron, le bouillon et le concentré de poulet.
- Porter à ébullition, réduire le feu au minimum, couvrir et cuire pendant 20 minutes ou jusqu'à absorption totale du liquide.

ÉTAPE 3
MOUSSAKA
cuisson de l'agneau et des légumes
- Couper le reste des légumes et les fruits.
- Dans une grande casserole, faire revenir à feu vif dans l'huile de canola le poireau, les abricots, les raisins, les pruneaux, les pois chiches, le céleri, les carottes, les graines d'anis et l'agneau.
- Poursuivre jusqu'à ce que la viande soit bien cuite.
- Saupoudrer de chapelure, puis ajouter le bouillon et le concentré de poulet.
- Poursuivre la cuisson pendant 2 minutes.
- Retirer du feu, transvider dans un grand bol et réserver.

ÉTAPE 4
MOUSSAKA
préparation des légumes (suite)
- Rincer le mélange d'aubergines et de courgettes, et éponger avec un papier absorbant.

ÉTAPE 5
COUSCOUS, SOUPE ET MOULES
préparation de l'ail et de l'oignon
- Couper l'ail pour ces 3 recettes.
- Couper ensuite deux oignons en dés, soit un pour le couscous, un autre pour les moules, et un troisième en rondelles pour le ceviche.

ÉTAPE 6
PAELLA
fin de la cuisson du riz
- Retirer la casserole du feu, puis ajouter l'huile d'olive et le safran.
- Remuer et réserver.

ÉTAPE 7
COUSCOUS ET SOUPE
préparation des boulettes d'agneau
- Mélanger dans un grand bol l'agneau haché, le gingembre, la sauce tamari, la sauce aux huîtres, les épices grecques, les œufs et la chapelure italienne.
- Façonner des boulettes d'environ 1 po (2,5 cm) de diamètre.
- Réserver.

ÉTAPE 8
COUSCOUS
cuisson de la semoule
- Dans une casserole, porter à ébullition le bouillon et le concentré de poulet.
- Dans un saladier, mélanger la semoule, le beurre, les raisins, les amandes et les pruneaux. Verser le bouillon chaud peu à peu en mélangeant bien.
- Laisser reposer 5 minutes.
- Une fois le liquide complètement absorbé, remuer le mélange de façon à ce que les grains de semoule se séparent.
- Laisser refroidir et entreposer au frigo dans un contenant hermétiquement fermé.

PAELLA DE LA MÉDITERRANÉE

ÉTAPE 9
COUSCOUS
cuisson des légumes et des boulettes d'agneau
- Couper les légumes.
- Dans une grande casserole, faire revenir dans l'huile et à feu vif la courgette, le céleri, les carottes, l'oignon, la rabiole, les pois chiches, le maïs et l'ail.
- Incorporer le cumin et la coriandre.
- Ajouter ensuite le bouillon et le concentré de poulet, et les boulettes.
- Laisser mijoter environ 30 minutes.

ÉTAPE 10
PAELLA ET CEVICHE
préparation des légumes
- Couper les légumes de la paella.
- Trancher également les poivrons du ceviche en fines lanières.

ÉTAPE 11
PAELLA ET CEVICHE
cuisson des moules
- Couper le poireau. Le faire revenir à feu vif dans une grande casserole avec l'ail, l'oignon et le vin blanc.
- Ajouter les moules.
- Couvrir et cuire 5 minutes ou jusqu'à ce que toutes les moules soient ouvertes.

ÉTAPE 12
MOUSSAKA
montage et cuisson
- Préchauffer le four à 375 °F (190 °C).
- Ajouter la ricotta et le fromage de chèvre au mélange d'agneau et de légumes réservé; saler et poivrer, puis bien remuer.
- Huiler le fond d'un plat de pyrex (3 L).

- Y répartir uniformément la moitié du mélange d'aubergines et de courgettes.
- Recouvrir du mélange d'agneau, de légumes et de fromage.
- Terminer avec le reste du mélange aubergines-courgettes.
- Dans un petit bol, râper le parmesan et y ajouter la chapelure italienne.
- Saupoudrer ce mélange sur la moussaka.
- Faire cuire au four pendant 1 heure.

ÉTAPE 13
PAELLA
montage et entreposage
- À l'aide d'une cuillère percée, retirer les moules.
- Ajouter ensuite au bouillon le céleri, les carottes, les poivrons, les olives, les palourdes et leur jus, le thon et son eau, le crabe, les pétoncles et les crevettes.
- Continuer la cuisson de 1 à 2 minutes et retirer du feu. Laisser refroidir.

COUSCOUS D'AGNEAU AUX RAISINS ET AUX AMANDES

- Mettre le riz dans un grand plat muni d'un couvercle hermétique et couvrir de la préparation ci-dessus.
- Réserver une vingtaine de moules pour le ceviche et disposer les autres (avec leur coquille) en éventail sur la paella.
- Laisser refroidir et entreposer au frigo.

La conservation: 3 jours

Le jour J: Réchauffer doucement à la poêle ou au micro-ondes.

ÉTAPE 14
SOUPE
cuisson des légumes et des boulettes d'agneau
- Couper le reste des légumes.
- Dans une grande casserole, faire revenir à feu vif dans l'huile les oignons verts, l'ail, la courgette, les maïs, les pousses de bambou, la rabiole, le gingembre, les graines d'anis, le zeste d'orange, la sauce tamari, le miel, le bouillon et le concentré de bœuf, et les boulettes.
- Saler et poivrer, puis porter à ébullition.
- Réduire le feu de moitié et laisser mijoter 20 minutes.

ÉTAPE 15
COUSCOUS
fin de la cuisson et entreposage
- Retirer la casserole du feu, laisser refroidir et entreposer au frigo dans un contenant hermétiquement fermé.

La conservation: 7 jours (la semoule et le mélange agneau-légumes dans des contenants séparées)

Le jour J: Réchauffer séparément les deux préparations à la poêle ou au micro-ondes.

SOUPE-REPAS DE
BOULETTES D'AGNEAU

ÉTAPE 17
CEVICHE
préparation et entreposage
- Couper et hacher tous les ingrédients.
- Ajouter les palourdes et égoutter.
- Dans un grand bol muni d'un couvercle hermétique, mélanger et entreposer au frigo pendant au moins 24 heures.

La conservation: 4 jours

Le jour J: Servir bien frais.

Suggestion: accompagner d'une baguette badigeonnée d'huile et saupoudrée de parmesan frais râpé.

ÉTAPE 16
SOUPE
fin de la cuisson et entreposage
- Environ 3 minutes avant la fin de la cuisson, ajouter le vermicelle de riz et la menthe.
- Laisser refroidir.
- Garder au frigo dans un contenant hermétiquement fermé.

La conservation: 7 jours

Le jour J: Réchauffer et servir.

ÉTAPE 18
MOUSSAKA
fin de la cuisson et entreposage
- Retirer la moussaka du four.
- Laisser refroidir et entreposer au frigo dans un contenant hermétiquement fermé.

La conservation: 5 jours

Le jour J: Réchauffer 20 minutes au four à 375 °F (190 °F).

Repérer vos recettes préférées

MOUSSAKA D'AGNEAU À LA RICOTTA, AU CHÈVRE ET À L'ANIS	étapes 1, 3, 4, 12 et 18
PAELLA DE LA MÉDITERRANÉE	étapes 2, 6, 10, 11 et 13
COUSCOUS D'AGNEAU AUX RAISINS ET AUX AMANDES	étapes 5, 7, 8, 9 et 15
SOUPE-REPAS DE BOULETTES D'AGNEAU	étapes 5, 7, 14 et 16
LE CEVICHE DE MON PÈRE	étapes 10 et 17

1
2
3
4
5
6
7
8
9
10
11
12
13
14
15
16
17
18
19
20

liste d'épicerie de la semaine 12 ✔

Fruits et légumes

3	oignons moyens
8	branches de céleri
8	carottes
2	poivrons rouges
1	poivron vert
1	poivron orange
1	poivron jaune
14	gousses d'ail
1	aubergine d'environ 1 lb (500 g)
2	rabioles (petits navets)
3	courgettes
1 ½ tasse (375 ml)	poireau haché
4	oignons verts
1 boîte de 14 oz (398 ml)	petits maïs entiers
1 boîte de 7 oz (198 ml)	pousses de bambou
1 ½ tasse (375 ml)	maïs surgelé
15	olives noires en conserve dénoyautées
6	olives noires grecques dénoyautées
6	olives vertes siciliennes dénoyautées
8	abricots séchés
16	pruneaux
½ tasse (125 ml)	raisins dorés
¼ tasse (60 ml)	raisins secs
1	citron
1	orange
⅓ tasse (80 ml)	jus de lime

Œufs et produits laitiers

2	gros œufs
16 oz (500 g)	fromage ricotta
5 oz (150 g)	fromage de chèvre à pâte molle
3 c. à soupe (45 ml)	fromage parmesan frais
3 c. à soupe (45 ml)	beurre

Viandes, poissons et fruits de mer

4 lb (2 kg)	agneau haché
8 oz (250 g)	flétan
8 oz (250 g)	crevettes nordiques, cuites et décortiquées
4 oz (125 g)	grosses crevettes, non cuites et décortiquées
12 oz (375 g)	pétoncles de baie (petits)
1 ½ lb (750 g)	moules fraîches
2 petites boîtes	petites palourdes
1 boîte de 6 oz (170 g)	thon émietté dans l'eau
1 boîte de 6 oz (170 g)	crabe

Herbes, épices, sauces et condiments

10	feuilles de menthe fraîche
6	tiges coriandre fraîche
3 c. à soupe (45 ml)	gingembre frais
1 c. à soupe (15 ml)	pesto de basilic
2 c. à soupe (30 ml)	câpres
½ tasse (125 ml)	sauce tamari
¼ tasse (60 ml)	sauce aux huîtres
¼ tasse (60 ml)	graines d'anis
¼ tasse (60 ml)	épices grecques
½ c. à thé (2 ml)	safran espagnol
½ c. à thé (2 ml)	cumin moulu
1 c. à thé (5 ml)	coriandre moulue
1	piment jalapeño

Bouillon, huiles et vinaigres

12 ½ tasses (+ de 3 L)	bouillon de poulet
6 tasses (1,5 L)	bouillon de bœuf
⅔ tasse (160 ml)	concentré liquide de poulet
2 c. à soupe (30 ml)	concentré liquide de bœuf
2 ¼ tasses (560 ml)	huile de canola ou de tournesol
½ tasse (125 ml)	huile d'olive

Riz, pains, pâtes et céréales

2 tasses (500 ml)	couscous (semoule)
7 oz (200 g)	vermicelle de riz
2 tasses (500 ml)	riz basmati
¾ tasse (180 ml)	chapelure italienne

Noix, graines et légumineuses

1 ¾ tasse (430 ml)	pois chiches en conserve
½ tasse (125 ml)	amandes rôties

Fonds de cuisine

1 c. à soupe (15 ml)	miel ou sirop d'érable
	sel et poivre en quantité suffisante

Divers

¾ tasse (180 ml)	vin blanc sec

1
2
3
4
5
6
7
8
9
10
11
12
13
14
15
16
17
18
19
20

La détente

Savoir décrocher, écouter l'instant
présent. Une philosophie que je
vous souhaite de retrouver, de cultiver
et de partager.

13

Au menu cette semaine

liste des ingrédients pour chaque repas

BROCOFLEURS AU BEURRE DE PARMESAN

Les ingrédients

2	brocofleurs coupés en bouquets
½ tasse (125 ml)	beurre
3 c. à soupe (45 ml)	fromage parmesan frais râpé
2 c. à soupe (30 ml)	chapelure italienne
	sel et poivre, au goût

Le temps nécessaire: 3 minutes de cuisson

PORTOBELLOS AU BEURRE DE FRUITS DE MER

Les ingrédients

⅓ tasse (80 ml)	huile de canola ou de tournesol
8	gros champignons portobellos
La moitié	beurre de fruits de mer et de poivrons grillés (voir recette)
1 ½ tasse (375 ml)	cheddar vieilli 1 an (ou cheddar au choix) râpé
1 tasse (250 ml)	chapelure italienne

Le temps nécessaire: 25 minutes de préparation + 25 minutes de cuisson

COQUILLES GÉANTES AUX FRUITS DE MER ET AUX ÉPINARDS

Les ingrédients

1 boîte de 1 lb (500 g)	coquilles géantes
⅓ tasse (80 ml)	huile de canola ou de tournesol (pour les pâtes)
4 tasses (1 L)	jeunes pousses d'épinards
1 ¾ tasse (430 ml)	ricotta
Le quart	beurre de fruits de mer et de poivrons grillés (voir recette)
2 tasses (500 ml)	mélange de fromage râpé de type Tex-Mex
Le tiers	beurre blanc aux abricots et à l'anis pour accompagner (voir recette)

Le temps nécessaire: 15 minutes de préparation + 10 minutes de cuisson

TRUITE SAUMONÉE AUX 2 BEURRES

Les ingrédients

3 c. à soupe (45 ml)	huile de canola ou de tournesol
4	filets de truite saumonée d'environ 5 oz (150 g) chacun, sans la peau
Le quart	beurre de fruits de mer et de poivrons grillés (voir recette)
Le tiers	beurre blanc aux abricots et à l'anis pour accompagner (voir recette)

Le temps nécessaire: 10 minutes de préparation + 10 minutes de cuisson

CARRÉ DE PORC FARCI AU CHORIZO

Les ingrédients

4 lb (2 kg)	carré de porc
2 c. à soupe (30 ml)	concentré liquide de poulet
Le tiers	beurre blanc aux abricots et à l'anis pour accompagner (voir recette)

Farce

1	saucisse chorizo (ou saucisson sec) d'environ 4 oz (125 g) hachée finement
⅓ tasse (80 ml)	fromage feta
4 oz (125 g)	porc haché
¼ tasse (60 ml)	orge aux raisins secs et aux amandes fumées (voir recette)
1	gros œuf
3 c. à soupe (45 ml)	chapelure italienne
	sel et poivre, au goût

Le temps nécessaire: 5 minutes de préparation + 40 minutes de cuisson

CHAUDRÉE DE LA MER À L'ORGE ET AUX FRUITS SECS

Les ingrédients

2 c. à soupe (30 ml)	beurre
2	saucisses chorizos (ou saucissons secs) d'environ 4 oz (125 g) chacune coupées en petits dés
1 ¼ tasse (310 ml)	poireaux hachés
4	carottes moyennes coupées en petits dés
4	branches de céleri coupées en petits dés
6	gousses d'ail hachées
2 tasses (500 ml)	jeunes pousses d'épinards
3 c. à soupe (45 ml)	farine
6 tasses (1,5 L)	bouillon de légumes
2 c. à soupe (30 ml)	concentré liquide de légumes
1 petite boîte	petites palourdes avec leur jus
1 ½ tasse (375 ml)	orge aux raisins secs et aux amandes fumées (voir recette)
1	filet de truite saumonée d'environ 5 oz (150 g), sans la peau
4 oz (125 g)	pétoncles de baie (petits)
8 oz (250 g)	crevettes nordiques, cuites et décortiquées
1 tasse (250 ml)	crème à cuisson (15 %)
1 c. à soupe (15 ml)	thym moulu
1 c. à soupe (15 ml)	graines d'aneth
10	abricots coupés en 2

Le temps nécessaire: 15 minutes de préparation + 30 minutes de cuisson

ORGE AUX RAISINS SECS ET AUX AMANDES FUMÉES

Les ingrédients

3 tasses (750 ml)	orge perlé
½ tasse (125 ml)	amandes fumées
1 tasse (250 ml)	raisins secs
6 tasses (1,5 L)	bouillon de poulet
3 c. à soupe (45 ml)	concentré liquide de poulet
8	feuilles de menthe fraîche ciselées
	sel et poivre, au goût

Le temps nécessaire: 5 minutes
de préparation + 35 minutes de cuisson

 Nécessaire pour le carré de porc et la chaudrée, en accompagnement des portobellos et de la truite

BEURRE DE FRUITS DE MER ET DE POIVRONS GRILLÉS

Les ingrédients

2	poivrons rouges coupés en lanières
2 c. à soupe (30 ml)	huile de canola ou de tournesol
4	échalotes françaises
8	gousses d'ail
1 c. à soupe (15 ml)	mélange d'herbes italiennes
1 c. à soupe (15 ml)	graines d'aneth
6	feuilles de menthe fraîche
8 oz (250 g)	beurre ramolli
1	citron (le jus)
1 ¼ lb (625 g)	crevettes nordiques, cuites et décortiquées

1 ¼ lb (625 g)	pétoncles de baie (petits)
	sel et poivre, au goût

Le temps nécessaire: 10 minutes
de préparation + 5 minutes de cuisson

 Nécessaire pour les portobellos, les coquilles et la truite

BEURRE BLANC AUX ABRICOTS ET À L'ANIS

Les ingrédients

15	abricots séchés coupés en 3
6	échalotes françaises hachées
1 c. à soupe (15 ml)	graines d'anis
1 tasse (250 ml)	vin blanc sec
1 c. à soupe (15 ml)	fumet de poisson en poudre
3 tasses (750 ml)	crème à cuisson (15 %)
	sel et poivre, au goût

Le temps nécessaire: 10 minutes
de préparation + 15 minutes de cuisson

 En accompagnement de la truite, du carré de porc et des coquilles

La note du chef

Mieux que les côtes levées

Si la réputation des côtes levées n'est plus à faire, sait-on qu'elles coûtent assez cher compte tenu du peu de viande qu'elles offrent? Elles sont aussi très grasses. Voilà pourquoi il est recommandé de les faire bouillir au moins 45 minutes avant de les faire griller.

Je vous propose plutôt d'opter pour le carré de porc qui, en plus d'être économique, offre une viande maigre, généreuse et succulente. Et pour le rendre encore plus savoureux, j'ai pensé le faire cuire avec un mélange d'amandes fumées et de raisins secs. De quoi oublier les traditionnelles côtes levées… qui finissent toujours par nous laisser sur notre appétit!

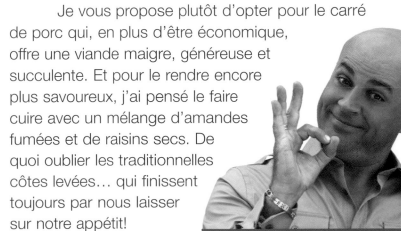

La semaine 13, étape par étape…

ÉTAPE 1
COQUILLES
préparation de l'eau pour la cuisson des pâtes
- Faire bouillir de l'eau salée dans une grande casserole.

ÉTAPE 2
ORGE
cuisson
- Rincer l'orge perlé.
- Le mettre dans une grande casserole avec les amandes, les raisins secs, le bouillon et le concentré de poulet.
- Porter à ébullition, puis réduire le feu au minimum.
- Couvrir et continuer la cuisson 30 minutes ou jusqu'à absorption du liquide.

ÉTAPE 3
COQUILLES
cuisson des pâtes
- Plonger les coquilles dans l'eau bouillante et cuire selon la méthode indiquée sur l'emballage.

ÉTAPE 4
PORTOBELLOS
cuisson des champignons
- Préchauffer le four à 375 °F (190 °C).
- Enlever et jeter le pied des champignons.
- Chauffer l'huile dans une poêle et y sauter les chapeaux à feu moyen-vif pour en extraire l'eau.
- Tourner les champignons, réduire le feu et laisser cuire quelques minutes jusqu'à ce que l'eau s'évapore.

ÉTAPE 5
PORTOBELLOS, COQUILLES ET TRUITE
préparation du beurre de fruits de mer et de poivrons grillés
- Couper les poivrons en lanières.
- Griller dans une poêle cannelée huilée et réserver.
- Mettre les échalotes, l'ail, les herbes, l'aneth, la menthe, le beurre et le jus de citron dans le bol du robot culinaire, puis actionner l'appareil quelques secondes.
- Ajouter les crevettes et les pétoncles, les poivrons grillés, le sel et le poivre, et mélanger encore quelques secondes.
- Diviser le mélange obtenu en 3: en réserver la moitié pour les les portobellos, un quart pour coquilles et entreposer l'autre quart au frigo dans un contenant hermétiquement fermé pour servir avec la truite le jour J.

ÉTAPE 6
COQUILLES
fin de la cuisson des pâtes
- Égoutter les coquilles, remettre dans la casserole, verser l'huile et réserver.

Les pâtes doivent être légèrement fermes, car elles continueront à cuire au four.

ÉTAPE 7
BROCOFLEURS ET COQUILLES
préparation de l'eau pour la cuisson des légumes
- Faire bouillir de l'eau salée dans 2 grandes casseroles.
- Couper les brocofleurs en bouquets.

ÉTAPE 8
PORTOBELLOS
montage et cuisson
- Râper le cheddar.
- Farcir les chapeaux du beurre de fruits de mer et de poivrons grillés.
- Saupoudrer de fromage et de chapelure italienne, puis gratiner 10 minutes au four à 375 °F (190 °C).

ÉTAPE 9
BROCOFLEURS ET COQUILLES
cuisson des légumes
- Cuire les brocofleurs 3 minutes et les épinards 1 minute.
- Égoutter les épinards, éponger et réserver.

ÉTAPE 10
BROCOFLEURS
fin de la cuisson et entreposage
- Rincer les brocofleurs à l'eau froide, éponger et entreposer au frigo dans un contenant hermétiquement fermé.

La conservation: 5 jours

Le jour J: Dans une casserole, faire fondre le beurre et le parmesan à feux doux. Réchauffer les brocofleurs au micro-ondes. Napper les légumes du mélange de beurre et de parmesan. Saler, poivrer et soupoudrer de chapelure.

CARRÉ DE PORC
FARCI AU CHORIZO

ÉTAPE 11
ORGE
fin de la cuisson
- Ciseler la menthe.
- Retirer la casserole du feu.
- Ajouter la menthe, saler et poivrer, puis laisser refroidir.
- Réserver 1 ½ tasse (375 ml) pour la chaudrée et ¼ tasse (60 ml) pour le carré de porc.
- Entreposer le reste dans un contenant hermétiquement fermé.

La conservation: 5 jours

Le jour J: Réchauffer au micro-ondes ou doucement à la poêle, et servir en accompagnement des portobellos et de la truite.

ÉTAPE 12
COQUILLES
montage et cuisson
- Mélanger les épinards, la ricotta, le beurre de fruits de mer et de poivrons grillés.
- En farcir les pâtes, couvrir de fromage de type Tex-Mex et déposer sur une plaque huilée allant au four.
- Cuire 10 minutes ou jusqu'à ce que le fromage soit gratiné.

ÉTAPE 13
PORTOBELLOS
fin de la cuisson et entreposage
- Sortir le plat du four, laisser refroidir et entreposer au frigo dans un contenant hermétiquement fermé.

La conservation: 3 jours. On peut aussi les congeler.

Le jour J: Réchauffer 10 minutes au four à 375 °F (190 °C) ou au micro-ondes. Servir avec l'orge aux raisins secs et aux amandes fumées préalablement réchauffé.

ÉTAPE 14
TRUITE ET CARRÉ DE PORC
préparation du beurre blanc aux abricots et à l'anis
- Couper les abricots et les échalotes.
- Les mettre dans une casserole avec le vin et les graines d'anis.
- Porter à ébullition et laisser évaporer le vin presque complètement, soit environ 5 minutes.

ÉTAPE 15
CARRÉ DE PORC
préparation de la farce
- Hacher le chorizo.
- Mélanger tous les ingrédients de la farce dans un bol et réserver.

ÉTAPE 16
COQUILLES
fin de la cuisson et entreposage
- Sortir le plat du four, laisser refroidir et entreposer au frigo dans un contenant hermétiquement fermé.

La conservation: 3 jours

Le jour J: Chauffer légèrement le beurre blanc aux abricots et à l'anis au micro-ondes. En napper les coquilles et chauffer 5 minutes au four à 350 °F (180 °C).

ÉTAPE 17
TRUITE, COQUILLES ET CARRÉ DE PORC
fin de la préparation du beurre blanc aux abricots et à l'anis, et entreposage
- Ajouter le fumet de poisson, la crème, le sel et le poivre.
- Mélanger, réduire le feu de moitié et laisser épaissir environ 5 minutes.
- Laisser refroidir et entreposer au frigo dans un contenant hermétiquement fermé.

La conservation: 5 jours

Le jour J: Réchauffer doucement au micro-ondes.

ÉTAPE 18
CHAUDRÉE
préparation et cuisson
- Couper les chorizos, les légumes et les abricots.
- Fondre le beurre dans une grande casserole et saisir les chorizos, les poireaux, les carottes, le céleri, l'ail et les épinards environ 2 minutes.
- Saupoudrer de farine et mélanger.
- Ajouter le bouillon et le concentré de légumes, les palourdes avec leur jus et l'orge.
- Réduire le feu de moitié et poursuivre la cuisson 15 minutes.

ÉTAPE 19
CHAUDRÉE
fin de la cuisson et entreposage
- Couper le filet de truite en gros morceaux et ajouter au contenu de la casserole avec les fruits de mer.
- Ajouter ensuite les pétoncles, les crevettes, la crème, le thym, les graines d'aneth et les abricots.
- Poursuivre la cuisson 5 minutes tout en mélangeant.
- Laisser refroidir et entreposer au frigo dans un plat hermétiquement fermé.

La conservation: 5 jours

Le jour J: Réchauffer doucement dans une casserole ou au micro-ondes.

ÉTAPE 20
CARRÉ DE PORC
préparation, cuisson et entreposage
- Ouvrir le carré de porc en portefeuille.
- Déposer la farce préparée, fermer et ficeler le carré.
- Couvrir les os de papier d'aluminium.
- Badigeonner de concentré de poulet.
- Cuire 40 minutes au four (ou entreposer tel quel au frigo et cuire seulement le jour J).
- Laisser refroidir et entreposer au frigo dans un contenant hermétique.

La conservation: 3 jours

Le jour J: Trancher le carré en coupant entre les côtes, couvrir de papier d'aluminium, puis réchauffer 10 minutes au four à 375 °F (190 °C). Servir avec le beurre blanc aux abricots et à l'anis et l'orge aux raisins secs et aux amandes fumées préalablement réchauffés.

ÉTAPE 21
TRUITE
cuisson

Le jour J: Tartiner un côté des filets de beurre de fruits de mer et de poivrons grillés. Chauffer l'huile dans une poêle puis, à feu moyen et à couvert, cuire environ 10 minutes, le côté beurré sur le dessus. Chauffer le beurre blanc aux abricots et à l'anis sur la cuisinière ou au micro-ondes. En napper les filets cuits, et servir avec l'orge aux raisins secs et aux amandes fumées.

Repérer vos recettes préférées

liste d'épicerie de la semaine 13 ☑

Fruits et légumes

4	branches de céleri
4	carottes
2	poivrons rouges
14	gousses d'ail
2	brocofleurs
8	gros champignons portobellos
10	échalotes françaises
1 ¼ tasse (310 ml)	poireaux hachés
6 tasses (1,5 L)	jeunes pousses d'épinards
1	citron
25	abricots séchés
1 tasse (250 ml)	raisins secs

Œufs et produits laitiers

1	gros œuf
3 c. à soupe (45 ml)	fromage parmesan frais râpé
5 oz (150 g)	cheddar vieilli 1 an (ou cheddar au choix)
7 oz (200 g)	mélange de fromage râpé de type Tex-Mex
16 oz (500 g)	fromage ricotta
1 ½ oz (50 g)	fromage feta
4 tasses (1 L)	crème à cuisson (15 %)
16 oz (500 g)	beurre

Viandes, poissons et fruits de mer

4 lb (2 kg)	carré de porc
4 oz (125 g)	porc haché
3	saucisses chorizos de 4 oz (125 g) chacune
5	filets de truite saumonée de 5 oz (150 g) chacun, sans la peau
1 ¾ lb (875 g)	crevettes nordiques, cuites et décortiquées
1 ½ lb (750 g)	pétoncles de baie (petits)
1 petite boîte	petites palourdes

Herbes, épices, sauces et condiments

14	feuilles de menthe fraîche
1 c. à soupe (15 ml)	thym moulu
1 c. à soupe (15 ml)	mélange d'herbes italiennes
2 c. à soupe (30 ml)	graines d'aneth
1 c. à soupe (15 ml)	graines d'anis
1 c. à soupe (15 ml)	fumet de poisson en poudre

Bouillons, huiles et vinaigres

6 tasses (1,5 L)	bouillon de poulet
6 tasses (1,5 L)	bouillon de légumes
⅓ tasse (80 ml)	concentré liquide de poulet
2 c. à soupe (30 ml)	concentré liquide de légumes
1 tasse (250 ml)	huile de canola ou de tournesol

Riz, pains, pâtes et céréales

1 ⅓ tasse (330 ml)	chapelure italienne
1 boîte de 16 oz (500 g)	coquilles géantes
3 tasses (750 ml)	orge perlé

Noix, graines et légumineuses

½ tasse (125 ml)	amandes fumées

Fonds de cuisine

3 c. à soupe (45 ml)	farine
	sel et poivre en quantité suffisante

Divers

1 tasse (250 ml)	vin blanc sec

1
2
3
4
5
6
7
8
9
10
11
12
13
14
15
16
17
18
19
20

liste des ingrédients pour chaque repas

HARICOTS AU BEURRE D'ORANGE ET AU CUMIN

Les ingrédients

3 c. à soupe (45 ml)	huile de canola ou de tournesol
½ tasse (125 ml)	beurre
1 lb (500 g)	haricots jaunes équeutés
1 lb (500 g)	haricots verts équeutés
2	échalotes françaises hachées finement
½	orange (le zeste)
4	gousses d'ail hachées finement
1 c. à thé (5 ml)	graines d'anis
½ c. à thé (2 ml)	cumin moulu
1 c. à soupe (15 ml)	sirop d'érable
	sel et poivre, au goût

Le temps nécessaire: 5 minutes de préparation + 5 minutes de cuisson

 Nécessaire pour les fusillis, en accompagnement des feuilletés et de l'éventail

MIJOTÉ DE LAPIN ET DE CHORIZO AU VIN DE FRAISE

MIJOTÉ DE LAPIN ET DE CHORIZO AU VIN DE FRAISE

Les ingrédients

⅓ tasse (80 ml)	huile de canola ou de tournesol
2	lapins coupés en morceaux
2	saucisses chorizos (ou saucissons secs) d'environ 4 oz (125 g) chacune, coupées en dés
2	carottes moyennes coupées en brunoise
2	branches de céleri coupées en brunoise
1 ½ tasse (375 ml)	poireaux hachés
5	gousses d'ail hachées
2 c. à soupe (30 ml)	farine
2 tasses (500 ml)	vin de fraise [ou vin blanc sec + ¼ tasse (60 ml) de confiture de fraises]
6 tasses (1,5 L)	bouillon de poulet
2 c. à soupe (30 ml)	concentré liquide de poulet
1 tasse (250 ml)	lentilles vertes
8 oz (225 g)	champignons café coupés en 4
1	petit bulbe de fenouil coupé en dés
1	rabiole (ou petit navet) coupée en dés
6	carottes moyennes (supplémentaires) coupées en morceaux
¾ tasse (180 ml)	pruneaux dénoyautés
2 c. à soupe (30 ml)	thym séché
	sel et poivre, au goût

Le temps nécessaire: 15 minutes de préparation + 1 heure de cuisson

 Nécessaire pour les fusillis et le crumble

14

Au menu cette semaine

1
2
3
4
5
6
7
8
9
10
11
12
13
14
15
16
17
18
19
20

ÉVENTAIL DE PÉTONCLES ET DE CREVETTES AU BEURRE BLANC

Les ingrédients

3 c. à soupe (45 ml)	huile de canola ou de tournesol
1 lb (500 g)	crevettes tigrées (grosseur moyenne: 21-25) crues, décortiquées et déveinées
1 lb (500 g)	pétoncles de baie (petits)
1 ½ tasse (375 ml)	fondue de poireaux (voir recette)
	sel et poivre, au goût

Beurre blanc

¼	orange (le zeste)
2 c. à soupe (30 ml)	noix de coco non sucrée râpée
¾ tasse (180 ml)	poireaux hachés
1 tasse (250 ml)	vin blanc sec
1 c. à soupe (15 ml)	fumet de poisson en poudre
½ tasse (125 ml)	lait de coco
1 tasse (250 ml)	crème à cuisson (15 %)
1 c. à thé (5 ml)	curcuma
	sel et poivre, au goût

Le temps nécessaire:
5 minutes de préparation

FEUILLETÉS DE FRUITS DE MER À LA FONDUE DE POIREAUX

Les ingrédients

3 c. à soupe (45 ml)	huile de canola ou de tournesol
2 c. à soupe (30 ml)	beurre
1 lb (500 g)	crevettes tigrées (grosseur moyenne: 21-25) crues, décortiquées et déveinées
1 lb (500 g)	pétoncles de baie (petits)
1 paquet de 14 oz (400 g)	pâte feuilletée congelée
	farine (en quantité suffisante pour abaisser la pâte)
2 ½ tasses (625 ml)	fondue de poireaux (voir recette)
1 ½ tasse (375 ml)	sauce rosée (voir recette)
2	gros jaunes d'œufs (pour faire dorer la pâte)
	sel et poivre, au goût

Le temps nécessaire: 30 minutes de préparation + 30 minutes de cuisson

1
2
3
4
5
6
7
8
9
10
11
12
13
14
15
16
17
18
19
20

FUSILLIS DE LAPIN
À LA SAUCE ROSÉE

Les ingrédients

1 boîte de 1 lb (500 g)	fusillis
⅓ tasse (80 ml)	huile de canola ou de tournesol (pour les pâtes)
Le tiers	mijoté de lapin (voir recette)
1 ¾ tasse (430 ml)	sauce rosée (voir recette)
Le quart	haricots au beurre d'orange et au cumin (voir recette)
1 ½ tasse (375 ml)	fromage cheddar râpé pour garnir (facultatif)

Le temps nécessaire: 5 minutes de préparation + 5 minutes de cuisson

CRUMBLE DE LAPIN
AUX POIREAUX

Les ingrédients

Le tiers	mijoté de lapin (voir recette)
2 tasses (500 ml)	fondue de poireaux (voir recette)
3 lb (1,5 kg)	pommes de terre jaunes (7 ou 8 moyennes), pelées et coupées en fines tranches
4	courgettes moyennes coupées en rondelles
	sel et poivre, au goût

Le crumble

12 oz (375 g)	beurre ramolli
2 tasses (500 ml)	farine
3 tasses (750 ml)	mélange de fromage râpé de type Tex-Mex

Le temps nécessaire: 20 minutes de préparation + 45 minutes de cuisson

FONDUE DE POIREAUX

Les ingrédients

3 c. à soupe (45 ml)	huile de canola ou de tournesol
½ tasse (125 ml)	beurre
6 tasses (1,5 L)	poireaux hachés
2 c. à soupe (30 ml)	graines d'anis
1 c. à soupe (15 ml)	curcuma
2 c. à soupe (30 ml)	sirop d'érable

Le temps nécessaire: 5 minutes de préparation + 15 minutes de cuisson

Nécessaire pour l'éventail, les feuilletés et le crumble

SAUCE ROSÉE

Les ingrédients

3 c. à soupe (45 ml)	huile de canola ou de tournesol
¾ tasse (180 ml)	poireaux hachés
1 c. à thé (5 ml)	graines d'anis
1 boîte 28 oz (796 ml)	tomates italiennes en dés
2 c. à soupe (30 ml)	pesto de basilic
2 c. à soupe (30 ml)	concentré liquide de poulet
1 c. à soupe (15 ml)	miel
1 tasse (250 ml)	crème à cuisson (15 %)
3 c. à soupe (45 ml)	fromage parmesan frais râpé
2 tasses (500 ml)	fromage cheddar râpé

Le temps nécessaire: 10 minutes de préparation + 20 minutes de cuisson

 Nécessaire pour les feuilletés et les fusillis

La note du chef

Les fusillis de lapin

Vous avez diminué votre consommation de viande rouge
et vous en avez un peu marre de manger du poulet?
Avez-vous pensé au lapin? Sa viande blanche
(il n'y a pas de parties brunes) est presque
aussi maigre que le blanc de poulet.
De plus, elle est riche en protéines et
contient même des oméga-3. Une
véritable aubaine! Alors, pour remplacer votre poulet rôti des grands
jours, je vous propose MON mijoté
de lapin et de chorizo, de quoi
vous transporter sur la côte
méditerranéenne!

La semaine 14, étape par étape...

ÉTAPE 1
HARICOTS ET FUSILLIS
préparation de l'eau pour le blanchiment des légumes et la cuisson des pâtes
- Faire bouillir de l'eau salée dans 2 grandes casseroles.

ÉTAPE 2
HARICOTS
préparation des légumes
- Équeuter les haricots et réserver.
- Couper les échalotes et l'ail, râper le zeste et réserver ensemble dans un bol.

ÉTAPE 3
MIJOTÉ
préparation des légumes et des chorizos
- Couper les saucisses, les carottes, le céleri, les poireaux et l'ail. Réserver dans un bol.
- Couper tous les autres légumes de la recette et réserver dans un autre bol.

ÉTAPE 4
HARICOTS ET FUSILLIS
blanchiment des légumes et cuisson des pâtes
- Faire cuire les haricots 3 minutes et les pâtes selon la méthode indiquée sur l'emballage.

ÉTAPE 5
MIJOTÉ
Cuisson
- Couper les lapins en morceaux.
- Chauffer l'huile dans une grande casserole et y faire revenir à feu vif les lapins, les saucisses, les 2 carottes, le céleri, les poireaux et l'ail.
- Saupoudrer de farine et bien mélanger.
- Déglacer avec le vin et poursuivre la cuisson 1 ou 2 minutes.

ÉTAPE 6
HARICOTS
fin du blanchiment des légumes
- Égoutter, rincer à l'eau froide et réserver.

ÉTAPE 7
MIJOTÉ
cuisson (suite)
- Ajouter le bouillon et le concentré de poulet.
- Réduire le feu de moitié et poursuivre la cuisson environ 30 minutes.

ÉTAPE 8
FUSILLIS
fin de la cuisson des pâtes
- Égoutter les fusillis, les remettre dans la casserole, verser l'huile, bien mélanger et réserver.

ÉTAPE 9
HARICOTS
cuisson et entreposage
- Faire fondre le beurre dans une poêle avec l'huile.
- À feu moyen, faire cuire les échalotes, le zeste d'orange, l'ail et les graines d'anis 2 minutes.
- Ajouter les haricots, le cumin et le sirop d'érable; saler et poivrer. Bien mélanger et laisser refroidir.
- Réserver le quart pour le montage des fusillis et entreposer le reste au frigo dans un contenant hermétiquement fermé.

La conservation: 4 jours

Le jour J: Réchauffer doucement à la poêle ou au micro-ondes, et servir en accompagnement des feuilletés et de l'éventail.

ÉTAPE 10
MIJOTÉ
cuisson (suite)
- Rincer les lentilles.
- Les ajouter au contenu de la casserole avec les champignons, le fenouil, la rabiole, les autres carottes, les pruneaux, le thym, le sel et le poivre.
- Poursuivre la cuisson 30 minutes.

ÉTAPE 11
ÉVENTAIL
préparation du beurre blanc
- Râper le zeste d'orange.
- Le mettre dans une casserole avec la noix de coco et le vin blanc.
- Porter à ébullition et laisser évaporer à sec.

ÉTAPE 12
ÉVENTAIL, FEUILLETÉS ET CRUMBLE
préparation de la fondue de poireaux
- Hacher les poireaux.
- Chauffer le beurre et l'huile dans une casserole.
- Ajouter les poireaux, les graines d'anis, le curcuma et le sirop d'érable; saler et poivrer.
- Mélanger, couvrir et laisser mijoter environ 15 minutes.

ÉTAPE 13
FEUILLETÉS ET FUSILLIS
préparation de la sauce rosée
- Hacher les poireaux et râper les fromages.
- Chauffer l'huile dans une casserole et saisir à feu vif les poireaux, les graines d'anis, les tomates et le pesto.
- Ajouter le bouillon concentré de poulet, le miel, la crème et les fromages; saler et poivrer.
- Réduire le feu de moitié et laisser mijoter environ 10 minutes.

ÉTAPE 14
ÉVENTAIL
préparation du beurre blanc (suite)
- Saupoudrer de fumet de poisson, puis ajouter le lait de coco et la crème. Réduire le feu de moitié et laisser mijoter jusqu'à consistance onctueuse.

ÉTAPE 15
FEUILLETÉS ET FUSILLIS
fin de la préparation de la sauce rosée et entreposage
- Retirer la casserole du feu et prélever 1¾ tasse (430 ml) pour les fusillis et le reste pour les feuilletés
- Laisser refroidir et entreposer au frigo dans 2 contenants hermétiquement fermés.

La conservation: 5 jours

FUSILLIS
montage

Le jour J: Réchauffer les pâtes au micro-ondes. Dans une grande casserole, faire réchauffer à feu moyen le mijoté de lapin, la sauce rosée et les haricots. Mélanger aux pâtes, garnir de cheddar râpé si désiré et servir.

ÉTAPE 16
ÉVENTAIL, FEUILLETÉS ET CRUMBLE
fin de la préparation de la fondue de poireaux et entreposage
- Retirer la casserole du feu
- Prélever 2 ½ tasses (625 ml) pour le montage des feuilletés et 2 tasses (500 ml) pour le montage du crumble.
- Le reste servira pour l'éventail le jour J.

La conservation: 3 jours

ÉTAPE 17
ÉVENTAIL
**fin de la préparation du beurre blanc
et entreposage**
- Ajouter le curcuma, puis saler et poivrer.
- Laisser refroidir et entreposer au frigo dans un plat hermétiquement fermé.

La conservation: 3 jours

Le jour J: Réchauffer doucement et séparément, à la poêle ou au micro-ondes, le beurre blanc et la fondue de poireaux. Faire revenir dans l'huile à feu moyen les pétoncles et les crevettes environ 1 minute de chaque côté. Assembler chaque assiette en déposant d'abord la fondue de poireaux en nid, puis les crevettes et les pétoncles. Saler et poivrer au goût et napper de beurre blanc.

ÉTAPE 18
FEUILLETÉS
cuisson des fruits de mer
- Faire chauffer l'huile et le beurre dans une casserole, puis colorer les pétoncles et les crevettes à feu moyen pendant 1 minute.
- Éponger, saler, poivrer et réserver.

ÉTAPE 19
FEUILLETÉS
montage et entreposage
- Abaisser chaque rectangle de pâte feuilletée de façon à en doubler la surface.
- Tailler ensuite chaque rectangle en 2 pour obtenir un fond et un dessus.
- Répartir la fondue de poireaux sur 4 rectangles et ajouter les fruits de mer.

- À l'aide d'un pinceau, badigeonner les contours d'un jaune d'œuf légèrement battu délayé dans un peu d'eau froide.
- Couvrir d'un autre rectangle de pâte et sceller les bords avec une fourchette.
- Piquer le dessus pour laisser échapper la vapeur et entreposer au congélateur dans un emballage hermétique.

La conservation: 2 semaines

Le jour J: Laisser dégeler environ 20 minutes. Déposer sur une plaque à cuisson et badigeonner de jaune d'œuf légèrement battu pour obtenir une belle coloration. Cuire 30 minutes au four préchauffé à 375 °F (190 °F). Chauffer doucement la sauce rosée à la poêle ou au micro-ondes, puis en verser une louche dans chaque assiette. Y déposer les feuilletés. Accompagner des légumes de la semaine.

ÉTAPE 20
MIJOTÉ
fin de la cuisson et entreposage
- Retirer la casserole du feu et laisser refroidir.
- Réserver le tiers pour la préparation du crumble.
- Séparer le reste également dans 2 contenants hermétiquement fermés (dont un pour les fusillis) et entreposer au frigo.

La conservation: 5 jours. On peut aussi le congeler.

Le jour J: Réchauffer doucement à la casserole ou au micro-ondes.

ÉTAPE 21

CRUMBLE

préparation des légumes

- Préchauffer le four à 375 °F (190 °C).
- Couper les courgettes.
- Peler les pommes de terre,
  puis couper en fines tranches
  (idéalement à l'aide d'une mandoline).
- Dans un plat de pyrex (3 L)
  légèrement huilé, déposer la moitié
  des pommes de terre, puis les
  courgettes; saler et poivrer.
- Ajouter le mijoté de lapin et la fondue
  de poireaux.
- Couvrir du reste de pommes
  de terre. Saler et poivrer de nouveau,
  puis réserver.

ÉTAPE 22

CRUMBLE

préparation de la garniture et cuisson

- Dans un bol à mélanger, combiner
  le beurre, la farine et le fromage.
- Pétrir jusqu'à consistance granuleuse
  et déposer sur les pommes de terre.
- Cuire au four 45 minutes à 375 °F
  (190 °C).

ÉTAPE 23

CRUMBLE

fin de la cuisson et entreposage

- Sortir le plat du four, laisser refroidir,
  emballer hermétiquement
  et entreposer au frigo.

La conservation: 5 jours

Le jour J: Réchauffer 15 minutes au four
préchauffé à 375 °F (190 °C)
ou au micro-ondes.

MIJOTÉ DE LAPIN ET DE
CHORIZO AU VIN DE FRAISE

Repérer vos recettes préférées

liste d'épicerie de la semaine 14 ☑

Fruits et légumes

2	branches de céleri
8	carottes
4	courgettes
9	gousses d'ail
1	rabiole (ou petit navet)
1	petit bulbe de fenouil
8 oz (225 g)	champignons café
3 lb (1,5 kg)	pommes de terre jaunes (7 ou 8 moyennes)
2	échalotes françaises
9 tasses (2,25 L)	poireaux hachés
1 lb (500 g)	haricots jaunes
1 lb (500 g)	haricots verts
1 boîte de 28 oz (796 ml)	tomates italiennes en dés
1	orange
¾ tasse (180 ml)	pruneaux dénoyautés

Œufs et produits laitiers

2	gros œufs
3 c. à soupe (45 ml)	fromage parmesan frais
12 oz (350 g)	fromage cheddar
10 ½ oz (300 g)	mélange de fromage râpé de type Tex-Mex
2 tasses (500 ml)	crème à cuisson (15 %)
1½ lb (750 g)	beurre

Viandes, poissons et fruits de mer

2	lapins
2	saucisses chorizos (ou saucissons secs) d'environ 4 oz (125 g) chacune
2 lb (1 kg)	crevettes tigrées (grosseur moyenne: 21-25) crues, décortiquées et déveinées
2 lb (1 kg)	pétoncles de baie (petits)

Herbes, épices, sauces et condiments

2 c. à soupe (30 ml)	thym séché
3 c. à soupe (45 ml)	graines d'anis
½ c. à thé (2 ml)	cumin moulu
4 c. à thé (20 ml)	curcuma
2 c. à soupe (30 ml)	pesto de basilic
1 c. à soupe (15 ml)	fumet de poisson en poudre

Bouillons, huiles et vinaigres

6 tasses (1,5 L)	bouillon de poulet
¼ tasse (60 ml)	concentré liquide de poulet
1 ⅔ tasse (410 ml)	huile de canola ou de tournesol

Riz, pains, pâtes et céréales

1 boîte de 1 lb (500 g)	fusillis

Noix, graines et légumineuses

1 tasse (250 ml)	lentilles vertes

Fonds de cuisine

3 tasses (750 ml)	farine
3 c. à soupe (45 ml)	sirop d'érable
1 c. à soupe (15 ml)	miel
	sel et poivre en quantité suffisante

Divers

2 c. à soupe (30 ml)	noix de coco non sucrée râpée
½ tasse (125 ml)	lait de coco
1 paquet 14 oz (400 g)	pâte feuilletée congelée
2 tasses (500 ml)	vin de fraise [ou vin blanc sec + ¼ tasse (60 ml) de confiture de fraises]
1 tasse (250 ml)	vin blanc sec

1
2
3
4
5
6
7
8
9
10
11
12
13
14
15
16
17
18
19
20

15

Au menu cette semaine

1
2
3
4
5
6
7
8
9
10
11
12
13
14
15
16
17
18
19
20

liste des ingrédients pour chaque repas

SAUTÉ DE LÉGUMES AU BEURRE PERSILLÉ

Les ingrédients

8 oz (225 g)	champignons coupés en lamelles
2 tasses (500 ml)	pois mange-tout coupés en 4
1 tasse (250 ml)	maïs surgelé
3	poivrons (couleur au choix) coupés en dés
3 tasses (750 ml)	germes de soya

Beurre persillé

8 oz (250 g)	beurre ramolli
2	échalotes françaises
6	gousses d'ail
6	tiges de persil frais
1 c. à thé (5 ml)	curcuma
½ c. à thé (2 ml)	poivre noir du moulin

Le temps nécessaire: **10 minutes de préparation + 10 minutes de cuisson**

 Nécessaire pour les fettucines et les feuilletés

RÔTI DE DINDE FARCI AUX FRUITS SECS

Les ingrédients

1	poitrine de dinde d'environ 2 lb (1 kg)
2 c. à soupe (30 ml)	concentré liquide de poulet
2 c. à soupe (30 ml)	confiture d'abricots

Farce

8 oz (250 g)	dinde hachée
2 c. à soupe (30 ml)	confiture d'abricots
2 c. à soupe (30 ml)	canneberges séchées
2 c. à soupe (30 ml)	raisins secs
5	dattes séchées
2 c. à soupe (30 ml)	pacanes
½ c. à thé (2 ml)	cannelle
1	gros œuf
½ c. à thé (2 ml)	cumin moulu
1 c. à thé (5 ml)	coriandre moulue
	sel et poivre, au goût

Le temps nécessaire: **10 minutes de préparation + 1 h 30 de cuisson**

MIJOTÉ DE DINDE À LA BIÈRE ET AU RAIFORT

Les ingrédients

3 c. à soupe (45 ml)	huile de canola ou de tournesol
1 ½ tasse (375 ml)	poireaux hachés
2 c. à soupe (30 ml)	gingembre frais haché
6	gousses d'ail hachées
1	poitrine de dinde d'environ 2 lb (1 kg), coupée en dés
⅓ tasse (80 ml)	de farine
2 bouteilles 12 oz (341 ml)	bière blonde
4 tasses (1 L)	bouillon de bœuf
2 c. à soupe (30 ml)	concentré liquide de bœuf
⅓ tasse (80 ml)	raisins secs
⅓ tasse (80 ml)	canneberges séchées
1 c. à thé (5 ml)	cumin moulu
3 c. à soupe (45 ml)	marmelade d'oranges
¼ tasse (60 ml)	raifort

Le temps nécessaire: 10 minutes de préparation + 35 minutes de cuisson

 Nécessaire pour les feuilletés

SOUPE PORTUGAISE

Les ingrédients

3 c. à soupe (45 ml)	huile de canola ou de tournesol
4	saucisses chorizos (ou saucissons secs) d'environ 4 oz (125 g) chacune, coupées en dés
4	pommes de terre jaunes moyennes, pelées et coupées en dés
2 tasses (500 ml)	poireaux hachés
10	gousses d'ail hachées
4	carottes moyennes coupées en rondelles
1 ½ tasse (375 ml)	maïs surgelé
8 oz (250 g)	jambon blanc coupé en cubes
8 tasses (2 L)	bouillon de légumes
2 c. à soupe (30 ml)	concentré liquide de légumes
1 ½ lb (750 g)	filets de morue fraîche coupés en cubes
8 oz (250 g)	crevettes nordiques, cuites et décortiquées
1 tasse (250 ml)	petites palourdes avec leur jus
	sel et poivre, au goût

Le temps nécessaire: 15 minutes de préparation + 10 minutes de cuisson

FETTUCINES AUX CHORIZOS ET AUX CREVETTES, SAUCE AUX ARACHIDES ET À LA NOIX DE COCO

Les ingrédients

1 boîte de 1lb (500 g)	fettucines aux tomates ou aux épinards
⅓ tasse (80 ml)	huile de canola ou de tournesol (pour les pâtes)
3 c. à soupe (45 ml)	huile de canola ou de tournesol (pour la garniture)
2	saucisses chorizos (ou saucissons secs) d'environ 4 oz (125 g) chacune, coupées en dés
1 tasse (250 ml)	poireaux hachés
6	gousses d'ail hachées
8	tomates cerises coupées en 2
1 c. à thé (5 ml)	graines de fenouil ou d'anis
½ c. à thé (2 ml)	piments séchés
8 oz (250 g)	crevettes nordiques, cuites et décortiquées
1 ½ tasse (375 ml)	sauté de légumes au beurre persillé (voir recette)

Sauce aux arachides et à la noix de coco

2 c. à soupe (30 ml)	beurre d'arachide
1 c. à soupe (15 ml)	sauce hoisin
2 c. à soupe (30 ml)	noix de coco non sucrée, râpée
½ tasse (125 ml)	lait de coco
½ tasse (125 ml)	bouillon de poulet

Le temps nécessaire: 10 minutes de préparation + 10 minutes de cuisson

FEUILLETÉS DE DINDE ET SAUCE AUX CHAMPIGNONS

Les ingrédients

1 paquet de 14 oz (400 g)	pâte feuilletée congelée
2 tasses (500 ml)	mijoté de dinde à la bière et au raifort égoutté (voir recette)
1 tasse (250 ml)	sauté de légumes au beurre persillé (voir recette)
2	gros jaunes d'œufs délayés dans un peu d'eau pour faire dorer la pâte
	farine en quantité suffisante pour abaisser la pâte
	sel et poivre, au goût

La sauce aux champignons

3 c. à soupe (45 ml)	huile de canola ou de tournesol
8 oz (225 g) de 225 g	champignons coupés en lamelles
¼ tasse (60 ml)	beurre persillé (voir recette)
¼ tasse (60 ml)	bouillon de poulet
2 c. à soupe (30 ml)	concentré liquide de poulet
2 tasses (500 ml)	crème à cuisson (15 %)
	sel et poivre, au goût

Le temps nécessaire: 20 minutes de préparation + 30 minutes de cuisson

La note du chef

Le rôti de dinde

Aujourd'hui, plus besoin d'attendre le temps des fêtes pour manger de la dinde. Mais la faire cuire, c'est tout un contrat! Et après une semaine de sandwich à la dinde et de pâté à la dinde, on passerait bien à autre chose. Mais pourquoi se priver? Il suffit de servir du rôti de dinde, préparé avec la partie la plus noble de la volaille: la poitrine. Farci, il cuit en moins de deux heures, et ma farce aux fruits secs vous rappellera Noël même au mois de mai!

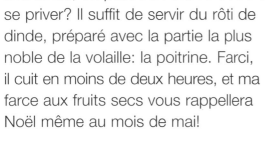

La semaine 15, étape par étape...

ÉTAPE 1
RÔTI
préparation de la farce
- Préchauffer le four à 375 °F (190 °C).
- Mélanger tous les ingrédients de la farce au robot culinaire et réserver.

Pour éviter tout risque de contamination, laver le robot culinaire à l'eau chaude savonneuse après y avoir mis la dinde crue.

ÉTAPE 2
RÔTI
montage et cuisson
- Ouvrir la poitrine de dinde en portefeuille et faire de légères incisions en quadrillage à l'intérieur.
- Farcir, refermer et ficeler; déposer dans une rôtissoire.
- Mélanger le bouillon concentré et la confiture d'abricots, et badigeonner la dinde. Cuire au four 1 h 30 à 375 °F (190 °C).

ÉTAPE 3
SAUTÉ ET FEUILLETÉS
préparation des champignons
- Laver et couper les champignons; séparer dans 2 bols et réserver.

ÉTAPE 4
SAUTÉ ET FEUILLETÉS
préparation du beurre persillé
- Mélanger tous les ingrédients au robot culinaire.
- En prélever ¼ tasse (60 ml) pour la sauce aux champignons des feuilletés et réserver le reste pour le sauté.

ÉTAPE 5
SAUTÉ
Cuisson
- Couper les pois mange-tout et les poivrons.
- Déposer le beurre persillé et tous les ingrédients du sauté dans une grande casserole.
- Chauffer à couvert et à feu moyen environ 10 minutes.

ÉTAPE 6
FEUILLETÉS
préparation de la sauce aux champignons
- Chauffer l'huile dans une poêle antiadhésive et y colorer les champignons.
- Réduire le feu de moitié et ajouter le beurre persillé.
- Laisser fondre et bien mélanger.
- Incorporer le bouillon et le concentré de poulet.
- Réduire, puis lier avec la crème jusqu'à l'obtention de la consistance désirée; saler et poivrer.
- Laisser refroidir et entreposer au frigo dans un contenant hermétiquement fermé.

La conservation: 5 jours

ÉTAPE 7
SAUTÉ
fin de la cuisson et entreposage
- Retirer la casserole du feu et laisser refroidir.
- En réserver 1 tasse (250 ml) pour

SOUPE PORTUGAISE

**FEUILLETÉS DE DINDE ET
SAUCE AUX CHAMPIGNONS**

les feuilletés et 1 ½ tasse (375 ml)
pour les fettucines.
- Entreposer le reste au frigo dans
un contenant hermétiquement fermé.

La conservation: 5 jours

Le jour J: Réchauffer doucement
au micro-ondes.

ÉTAPE 8
RÔTI
cuisson (suite)
- Badigeonner à nouveau du mélange
de bouillon et de confiture, et remettre
au four.

ÉTAPE 9
MIJOTÉ
préparation et cuisson
- Couper la dinde et réserver.
- Couper le gingembre, les poireaux
et l'ail, et faire revenir dans l'huile
à feu vif.
- Ajouter la dinde et saupoudrer
de farine.

- Bien mélanger, puis déglacer avec
la bière.
- Poursuivre la cuisson 1 ou 2 minutes,
puis incorporer le bouillon et le
concentré de bœuf.
- Laisser mijoter une dizaine
de minutes à feu vif.

ÉTAPE 10
SOUPE
Préparation
- Couper les légumes, les chorizos
et le jambon. Réserver.

ÉTAPE 11
FETTUCINES
**préparation de l'eau pour la cuisson
des pâtes**
- Faire bouillir de l'eau salée dans
une grande casserole.

ÉTAPE 12
RÔTI
fin de la cuisson et entreposage
- Sortir le plat du four, laisser refroidir et
entreposer au frigo dans un contenant
hermétiquement fermé.

La conservation: 5 jours

Le jour J: Réchauffer le rôti entier au four
à 375 °F (190 °C) pendant
20 minutes ou coupé en tranches
au micro-ondes. Accompagner
du sauté de légumes.

ÉTAPE 13
SOUPE
Cuisson
- Chauffer l'huile dans une grande
casserole et colorer à feu moyen
les chorizos, les pommes de terre,
les poireaux, l'ail, les carottes, le maïs
et le jambon.
- Ajouter le bouillon et le concentré
de légumes. Poursuivre la cuisson
20 minutes.

1
2
3
4
5
6
7
8
9
10
11
12
13
14
15
16
17
18
19
20

ÉTAPE 14
FETTUCINES
cuisson des pâtes
- Cuire les fettucines dans l'eau bouillante selon la méthode indiquée sur l'emballage.

ÉTAPE 15
MIJOTÉ
cuisson (suite)
- Ajouter les raisins, les canneberges, le cumin et la marmelade.
- Réduire le feu de moitié et prolonger la cuisson de 20 minutes.

ÉTAPE 16
SOUPE
cuisson (suite)
- Couper la morue et l'ajouter à la casserole avec les crevettes, les palourdes et leur jus.
- Prolonger la cuisson de 10 minutes.

SAUTÉ DE LÉGUMES AU BEURRE PERSILLÉ

ÉTAPE 17
FETTUCINES
fin de la cuisson des pâtes
- Égoutter les pâtes et remettre dans la casserole. Verser l'huile, bien mélanger et réserver.

ÉTAPE 18
MIJOTÉ
fin de la cuisson et entreposage
- Ajouter le raifort, bien mélanger et poursuivre la cuisson 5 minutes.
- Laisser refroidir.
- Prélever 2 tasses (500 ml) bien égouttées pour la garniture des feuilletés et entreposer le reste au frigo dans un contenant hermétiquement fermé.

La conservation: **5 jours**

Le jour J: **Réchauffer doucement à la poêle ou au micro-ondes.**

ÉTAPE 19
SOUPE
fin de la cuisson et entreposage
- Retirer la soupe du feu, saler et poivrer.
- Laisser refroidir et entreposer au frigo dans un contenant hermétiquement fermé.

La conservation: **7 jours**

Le jour J: **Réchauffer doucement dans une casserole.**

ÉTAPE 20
FETTUCINES
préparation de la sauce aux arachides et à la noix de coco
- Mélanger tous les ingrédients de la sauce au robot culinaire et réserver.

ÉTAPE 21
FETTUCINES
préparation de la garniture, montage et entreposage
- Couper les poireaux, l'ail, les tomates cerises et les chorizos.
- Saisir dans l'huile à feu vif avec les graines de fenouil et les piments séchés.
- Ajouter la sauce aux arachides, le sauté de légumes et les crevettes.
- Bien mélanger et cuire 5 minutes.
- Incorporer aux pâtes.
- Laisser refroidir et entreposer au frigo dans un contenant hermétiquement fermé.

La conservation: 5 jours

Le jour J: Réchauffer doucement à la poêle ou au micro-ondes.

ÉTAPE 22
FEUILLETÉS
montage et entreposage
- Abaisser la pâte feuilletée et séparer en 8 carrés.

- Répartir sur 4 carrés le mijoté de dinde égoutté et le sauté de légumes; saler et poivrer.
- Badigeonner le contour avec un jaune d'œuf battu délayé dans un peu d'eau.
- Recouvrir d'un autre carré de pâte, sceller le contour à l'aide d'une fourchette et pratiquer de légères incisions sur le dessus.
- Emballer dans du papier d'aluminium ou de la pellicule plastique, et entreposer au frigo.

La conservation: 3 jours. Peut aussi se congeler.

Le jour J: Badigeonner le dessus de chaque feuilleté de jaune d'œuf battu délayé dans un peu d'eau; cuire 20 minutes au four préchauffé à 375 °F (190 °C). Accompagner de sauce aux champignons.

Repérer vos recettes préférées

SAUTÉ DE LÉGUMES AU BEURRE PERSILLÉ	étapes 3, 4, 5 et 7
RÔTI DE DINDE FARCI AUX FRUITS SECS	étapes 1, 2, 8 et 12
MIJOTÉ DE DINDE À LA BIÈRE ET AU RAIFORT	étapes 9, 15 et 18
SOUPE PORTUGAISE	étapes 10, 13, 16 et 19
FETTUCINES AUX CHORIZOS ET AUX CREVETTES, SAUCE AUX ARACHIDES ET À LA NOIX DE COCO	étapes 11, 14, 17, 20 et 21
FEUILLETÉS DE DINDE ET SAUCE AUX CHAMPIGNONS	étapes 3, 4, 6, 9, 15, 18 et 22

liste d'épicerie de la semaine 15 ✓

Fruits et légumes

4	carottes
3	poivrons (couleur au choix)
28	gousses d'ail
8	tomates cerises
2 barquettes 8 oz (225 g)	champignons
4	pommes de terre jaunes moyennes
2	échalotes françaises
4 ½ tasses (1,125 L)	poireaux hachés
2 tasses (500 ml)	pois mange-tout
2 ½ tasses (625 ml)	maïs surgelé
5	dattes séchées
½ tasse (125 ml)	raisins secs
½ tasse (125 ml)	canneberges séchées

Œufs et produits laitiers

3	gros œufs
2 tasses (500 ml)	crème à cuisson (15 %)
8 oz (250 g)	beurre

Viandes, poissons et fruits de mer

6	saucisses chorizos (ou saucissons secs) de 4 oz (125 g) chacune
8 oz (250 g)	jambon blanc
8 oz (250 g)	dinde hachée
2	poitrines de dinde d'environ 2 lb (1 kg) chacune
1 ½ lb (750 g)	filets de morue fraîche
1 lb (500 g)	crevettes nordiques, cuites et décortiquées
1 tasse (250 ml)	petites palourdes avec leur jus

Herbes, épices, sauces et condiments

6	tiges de persil frais
2 c. à soupe (30 ml)	gingembre frais
½ c. à thé (2 ml)	piments séchés
1 c. à thé (5 ml)	graines de fenouil (ou d'anis)
½ c. à thé (2 ml)	cannelle
1 ½ c. à thé (7 ml)	cumin moulu
1 c. à thé (5 ml)	coriandre moulu
1 c. à thé (5 ml)	curcuma
1 c. à soupe (15 ml)	sauce hoisin
¼ tasse (60 ml)	raifort

Bouillons huiles et vinaigres

¾ tasse (180 ml)	bouillon de poulet
4 tasses (1 L)	bouillon de bœuf
8 tasses (2 L)	bouillon de légumes
¼ tasse (60 ml)	concentré liquide de poulet
2 c. à soupe (30 ml)	concentré liquide de boeuf
2 c. à soupe (30 ml)	concentré liquide de légumes
1 ¼ tasse (310 ml)	huile de canola ou de tournesol

Riz, pains, pâtes et céréales

1 boîte de 1 lb (500 g)	fettucines aux tomates ou aux épinards

Noix, graines et légumineuses

2 c. à soupe (30 ml)	pacanes
3 tasses (750 ml)	germes de soya

Fonds de cuisine

2 c. à soupe (30 ml)	beurre d'arachide
1 tasse (250 ml)	farine
2 c. à soupe (30 ml)	sirop d'érable
	sel et poivre en quantité suffisante

Divers

½ tasse (125 ml)	lait de coco
2 c. à soupe (30 ml)	noix de coco non sucrée, râpée
¼ tasses (60 ml)	confiture d'abricots
3 c. à soupe (45 ml)	marmelade d'oranges
1 paquet de 14 oz (400 g)	pâte feuilletée congelée
2 bouteilles de 12 oz (341 ml)	bière blonde

Noix, graines et légumineuses

2 c. à soupe (30 ml)	pacanes
3 tasses (750 ml)	germes de soya

Fonds de cuisine

2 c. à soupe (30 ml)	beurre d'arachide
1 tasse (250 ml)	farine
2 c. à soupe (30 ml)	sirop d'érable
	sel et poivre en quantité suffisante

Divers

½ tasse (125 ml)	lait de coco
2 c. à soupe (30 ml)	noix de coco non sucrée, râpée
¼ tasses (60 ml)	confiture d'abricots
3 c. à soupe (45 ml)	marmelade d'oranges
1 paquet de 14 oz (400 g)	pâte feuilletée congelée
2 bouteilles de 12 oz (341 ml)	bière blonde

16

Au menu cette semaine

A

**MIJOTÉ DE PORC À LA MOUTARDE
ET AU POIVRE DE SICHUAN**

B

**HACHIS PARMENTIER DE PORC
AUX 2 COULEURS**

C

**SOUPE-REPAS AUX PÂTES, AU JAMBON
ET AUX CREVETTES**

D

**FEUILLETÉ DE JAMBON
ET DE CREVETTES**

E

**TORTELLINIS AUX TOMATES, AU BASILIC
ET AU FENOUIL**

liste des ingrédients pour chaque repas

MIJOTÉ DE PORC À LA MOUTARDE ET AU POIVRE DE SICHUAN

Les ingrédients

⅓ tasse (80 ml)	huile de canola ou de tournesol
2 lb (1 kg)	cubes de porc
8	abricots séchés coupés en 3
1 tasse (250 ml)	poireaux hachés
3 c. à soupe (45 ml)	zeste de pamplemousse, coupé en julienne et blanchi
2 c. à soupe (30 ml)	poivre de Sichuan [ou 1 c. à soupe (15 ml) de mélange de 5 poivres]
6	carottes coupées en rondelles
8	gousses d'ail hachées
1 c. à soupe (15 ml)	cassonade
2 c. à soupe (30 ml)	farine
6 tasses (1,5 L)	bouillon de bœuf
2 c. à soupe (30 ml)	concentré liquide de bœuf
1 tasse (250 ml)	haricots jaunes équeutés
1 tasse (250 ml)	haricots verts équeutés
2	rabioles (petits navets) coupées en dés
1	petit chou de Savoie coupé en 8
3 c. à soupe (45 ml)	moutarde de Dijon
	sel et poivre, au goût

Le temps nécessaire: 15 minutes de préparation + 1 heure de cuisson

HACHIS PARMENTIER DE PORC AUX 2 COULEURS

Les ingrédients

3 c. à soupe (45 ml)	beurre
¾ tasse (180 ml)	crème à cuisson (15 %)
⅓ tasse (80 ml)	fromage de chèvre à pâte molle en cubes
½ tasse (125 ml)	fromage suisse râpé
2 lb (1 kg)	pommes de terre jaunes (5 ou 6), pelées et coupées en dés
8	carottes coupées en rondelles
3 c. à soupe (45 ml)	beurre (pour faire étuver les pois et le maïs)
1 ½ tasse (375 ml)	petits pois surgelés
1 ½ tasse (375 ml)	maïs surgelé
1 c. à soupe (15 ml)	épices cajuns
2 tasses (500 ml)	mijoté de porc (voir recette)
3 c. à soupe (45 ml)	chapelure italienne
3 c. à soupe (45 ml)	fromage parmesan frais râpé
	sel et poivre, au goût

Le temps nécessaire: 20 minutes de préparation + 40 minutes de cuisson

SOUPE-REPAS AUX PÂTES, AU JAMBON ET AUX CREVETTES

Les ingrédients

1 paquet de 1 lb (500 g)	tortellinis
⅓ tasse (80 ml)	huile de canola ou de tournesol (pour les pâtes)
3 c. à soupe (45 ml)	huile de canola ou de tournesol (pour la soupe)
4 oz (125 g)	jambon blanc coupé en dés
1 tasse (250 ml)	poireaux hachés
3	oignons verts hachés
4	carottes coupées en rondelles
3	gousses d'ail hachées
2 tasses (500 ml)	bouillon de bœuf
2 c. à soupe (30 ml)	concentré liquide de bœuf
1 boîte de 28 oz (796 ml)	tomates italiennes en dés
1 c. à soupe (15 ml)	miel
8 oz (250 g)	crevettes nordiques, cuites et décortiquées
1 tasse (250 ml)	maïs surgelé
2 c. à soupe (30 ml)	pesto de basilic
¼ tasse (60 ml)	fromage parmesan frais râpé
	sel et poivre, au goût

Le temps nécessaire: **15 minutes de préparation + 30 minutes de cuisson**

FEUILLETÉ DE JAMBON ET DE CREVETTES

Les ingrédients

1 paquet de 14 oz (400 g)	pâte feuilletée congelée
	farine en quantité suffisante pour abaisser la pâte
3 c. à soupe (45 ml)	huile de canola ou de tournesol (pour huiler l'assiette)
2	jaunes d'œufs
¾ tasse (180 ml)	mijoté de porc (voir recette) bien égoutté
1 c. à soupe (15 ml)	curcuma
12	abricots séchés coupés en 3
½ tasse (125 ml)	fromage de chèvre à pâte molle
¼ tasse (60 ml)	pesto de basilic
2 c. à soupe (30 ml)	graines de lin moulues
2 c. à soupe (30 ml)	graines de sésame grillées
1 tasse (250 ml)	maïs surgelé
8 oz (250 g)	crevettes nordiques, cuites et décortiquées
8 oz (250 g)	jambon blanc coupé en dés

Le temps nécessaire: **20 minutes de préparation + 30 minutes de cuisson**

TORTELLINIS AUX TOMATES, AU BASILIC ET AU FENOUIL

Les ingrédients

1 paquet de 1 lb (500 g)	tortellinis
3 c. à soupe (45 ml)	huile de canola ou de tournesol (pour la garniture)
1	petit bulbe de fenouil coupé en dés
3	oignons verts hachés
6	tranches de bacon
3	gousses d'ail hachées
1 boîte de 28 oz (796 ml)	tomates italiennes en dés
2 c. à soupe (30 ml)	concentré liquide de poulet
1 c. à soupe (15 ml)	miel
1 c. à soupe (15 ml)	pesto de basilic
1 tasse (250 ml)	mijoté de porc (voir recette)
2 c. à soupe (30 ml)	fécule de maïs délayée dans un peu d'eau froide (facultatif)
3 c. à soupe (45 ml)	fromage parmesan frais râpé
10	feuilles de basilic frais hachées finement

Le temps nécessaire: **20 minutes de préparation + 25 minutes de cuisson**

La note du chef

Saviez-vous qu'il existe des «vrais» et des «faux» poivres?

Les «vrais» poivres

Les poivres vert, blanc et noir sont un seul et même fruit issu d'une même plante: le poivrier. C'est en mûrissant que le poivre change de couleur.

Le poivre vert, parfumé et fruité, est plus doux que le noir, et ce n'est qu'une fois broyé qu'il diffuse tous ses arômes. À utiliser avec la volaille, dans les marinades et les terrines, et dans les sauces accompagnant les viandes rouges.

Le poivre blanc est un poivre de table au goût moins prononcé que celui du noir, auquel il se combine à merveille pour rehausser le goût des viandes et des légumes.

Le poivre noir est le plus connu. Il a l'avantage de s'accorder avec tous les autres poivres et épices. Un conseil: ne poivrez vos plats cuisinés qu'au dernier moment, car le poivre ne supporte pas la chaleur prolongée.

Les «faux» poivres

Le poivre rose n'est pas issu du poivrier, mais d'un grand arbre proche parent du pistachier. Il a une saveur assez douce, d'abord presque sucrée, puis aromatique et piquante. Attention, son cœur est très piquant! À utiliser dans les salades, sur le poisson, avec le fromage blanc et le chèvre.

Le poivre de Sichuan est le fruit séché d'un frêne épineux typique de Sichuan, province du sud-ouest de la Chine. Il a un goût légèrement acidulé, moins piquant que celui du poivre noir. À utiliser avec la volaille, le poisson, les légumes et, pourquoi pas, le porc (voir ma recette de mijoté de porc à la moutarde et au poivre de Sichuan). Avec l'anis étoilé, le clou de girofle, la cannelle et le fenouil, il entre dans la composition de la poudre de cinq-épices.

La semaine 16, étape par étape...

ÉTAPE 1
MIJOTÉ
préparation de l'eau pour le blanchiment du zeste de pamplemousse
- Faire bouillir de l'eau dans une petite casserole.

ÉTAPE 2
HACHIS PARMENTIER, MIJOTÉ, SOUPE-REPAS ET TORTELLINIS
préparation de l'eau pour la cuisson des pommes de terre, des carottes et des pâtes
- Faire bouillir de l'eau salée dans 2 grandes casseroles.

ÉTAPE 3
HACHIS PARMENTIER, SOUPE-REPAS ET MIJOTÉ
préparation des pommes de terre et des carottes
- Peler et couper ces 2 légumes et réserver dans 3 bols séparés selon les quantités demandées pour chacune des recettes.

ÉTAPE 4
MIJOTÉ
blanchiment du zeste
- Prélever le zeste et tailler en julienne.
- Plonger dans l'eau bouillante et blanchir 10 minutes.

ÉTAPE 5
HACHIS PARMENTIER, SOUPE-REPAS ET TORTELLINIS
cuisson des légumes et des pâtes
- Plonger les pommes de terre et les carottes du hachis Parmentier dans l'eau bouillante, et cuire environ 30 minutes.
- Cuire également tous les tortellinis tel qu'indiqué sur l'emballage.

ÉTAPE 6
MIJOTÉ
préparation des autres légumes
- Hacher les poireaux et ajouter au bol de carottes.
- Couper les rabioles et le chou de Savoie.
- Équeuter les haricots et réserver avec les rabioles et le chou.

ÉTAPE 7
MIJOTÉ ET FEUILLETÉ
préparation des abricots
- Couper les abricots.
- En ajouter 8 au bol contenant les carottes et les poireaux du mijoté.
- Réserver le reste pour le feuilleté.

ÉTAPE 8
MIJOTÉ, SOUPE-REPAS ET TORTELLINIS
préparation de l'ail
- Couper les gousses d'ail.
- En mettre 8 avec les carottes du mijoté et 3 avec les carottes de la soupe.
- Réserver les 3 dernières pour les tortellinis.
- Égoutter le zeste de pamplemousse, éponger et ajouter au bol contenant les carottes du mijoté.

ÉTAPE 9
TORTELLINIS ET SOUPE-REPAS
fin de la cuisson des pâtes
- Égoutter les tortellinis et y verser un peu d'huile, pour éviter qu'ils ne collent.
- Remettre la moitié des pâtes dans la casserole (pour le plat de tortellinis aux tomates) et réserver le reste pour la soupe.

ÉTAPE 10

MIJOTÉ

cuisson de la viande et des légumes

- Chauffer l'huile dans une casserole. Colorer à feu vif les cubes de porc de tous les côtés; saler et poivrer.
- Ajouter les abricots, les poireaux, le zeste, le poivre de Sichuan, les carottes et l'ail.
- Mélanger la cassonade et la farine. Incorporer parfaitement au contenu de la casserole et poursuivre la cuisson 2 minutes.
- Ajouter le bouillon et le concentré de bœuf. Réduire le feu de moitié et laisser mijoter 1 heure.
- Prévoir d'ajouter le reste des légumes à la mi-cuisson.

ÉTAPE 11

SOUPE-REPAS, TORTELLINIS ET FEUILLETÉ

préparation des oignons verts et du jambon

- Couper les oignons verts. En mettre 3 avec l'ail des tortellinis et les 3 autres dans le bol prévu pour la soupe.
- Couper le jambon. En mettre le tiers dans le bol prévu pour la soupe et le reste avec les abricots du feuilleté.

ÉTAPE 12

HACHIS PARMENTIER

préparation du mélange des fromages

- Râper les fromages suisse et parmesan; réserver celui-ci.
- Chauffer le beurre à feu moyen dans une petite casserole avec la crème, le suisse et le chèvre jusqu'à ce que les fromages soient fondus.
- Saler, poivrer et réserver.

ÉTAPE 13

SOUPE-REPAS

cuisson

- Hacher les poireaux.

- Chauffer l'huile dans une grande casserole et faire revenir à feu vif le jambon, les poireaux, les oignons verts, les carottes et l'ail 1 ou 2 minutes.
- Déglacer avec le bouillon et le concentré de bœuf.
- Ajouter les tomates et le miel.
- Mélanger, réduire le feu de moitié et poursuivre la cuisson environ 15 minutes.

ÉTAPE 14

HACHIS PARMENTIER

fin de la cuisson des légumes et préparation de la purée

- Égoutter les pommes de terre et les carottes, les remettre dans la casserole et réduire en purée.
- Ajouter le mélange chaud de crème et de fromages. Réserver.

Il est très important de chauffer le mélange de crème afin d'éviter la formation de grumeaux dans la purée.

ÉTAPE 15

MIJOTÉ

ajout du reste des légumes

- Environ 30 minutes avant la fin de la cuisson, ajouter les haricots, les rabioles et le chou de Savoie.
- Laisser mijoter jusqu'à ce que les légumes soient cuits.

ÉTAPE 16

FEUILLETÉ

préparation de la pâte

- À l'aide d'un rouleau à pâtisserie, abaisser la pâte feuilletée de façon à obtenir un fond et un dessus pouvant convenir à une assiette creuse allant au four.
- Mettre le fond de tarte dans l'assiette préalablement huilée et réserver.

ÉTAPE 17

TORTELLINIS
cuisson du bacon
- Rissoler le bacon, éponger avec du papier absorbant, hacher et réserver.

ÉTAPE 18

MIJOTÉ
fin de la cuisson et entreposage
- Ajouter la moutarde de Dijon, retirer la casserole du feu et laisser refroidir.
- En prélever environ 3 3/4 tasses (930 ml) en tout pour les autres recettes du menu et entreposer le reste au frigo dans un plat hermétiquement fermé.

La conservation: 7 jours

Le jour J: Réchauffer tout doucement sur la cuisinière ou au micro-ondes.

ÉTAPE 19

FEUILLETÉ
montage et entreposage
- Griller à sec les graines de sésame.
- Badigeonner le contour de la pâte d'un jaune d'œuf battu délayé dans un peu d'eau.
- Dans un bol, mélanger le mijoté de porc égoutté, le curcuma, les abricots, le fromage de chèvre, le pesto et les graines de lin moulues.
- Déposer dans l'abaisse, puis ajouter les graines de sésame grillées, le maïs, les crevettes et le jambon.
- Couvrir de l'autre abaisse et sceller le bord à l'aide d'une fourchette; pratiquer de légères incisions sur le dessus pour laisser s'échapper la vapeur.
- Laisser refroidir, emballer hermétiquement et entreposer au frigo.

La conservation: 3 jours. On peut aussi le congeler.

Le jour J: Badigeonner le dessus du feuilleté d'un jaune d'œuf battu délayé dans un peu d'eau. Cuire 30 minutes au four préchauffé à 375 °F (190 °C). Napper de sauce prélevée du mijoté de porc, préalablement réchauffée.

ÉTAPE 20

SOUPE-REPAS
fin de la cuisson et entreposage
- Ajouter les crevettes, le maïs, le pesto et les tortellinis réservés.
- Poursuivre la cuisson 5 minutes.
- Pendant ce temps, râper le parmesan.
- Retirer la casserole du feu et ajouter le fromage; saler, poivrer et bien mélanger.
- Laisser refroidir et entreposer au frigo dans un plat hermétiquement fermé.

La conservation: 5 jours

Le jour J: Réchauffer doucement dans une casserole ou au micro-ondes.

ÉTAPE 21

HACHIS PARMENTIER
préparation des autres ingrédients
- Préchauffer le four à 375 °F (190 °C).
- Fondre le beurre dans une casserole, et cuire à feu moyen et à couvert les pois, le maïs et les épices cajuns environ 5 minutes.

ÉTAPE 22

TORTELLINIS
cuisson de la garniture
- Couper le fenouil en dés.
- Chauffer l'huile dans une grande casserole, et colorer avec les oignons verts, le bacon et l'ail réservés.

ÉTAPE 23
HACHIS PARMENTIER
préparation de la purée (suite)
- À l'aide d'une cuillère percée, récupérer le maïs et les petits pois; les incorporer à la purée.

ÉTAPE 24
HACHIS PARMENTIER
montage et cuisson
- Couvrir de la moitié de la purée le fond d'un plat de pyrex (3 L) beurré.
- Ajouter le mijoté et couvrir du reste de la purée.
- Mélanger la chapelure et le parmesan, et saupoudrer le dessus du plat.
- Cuire au four 20 minutes à 375 °F (190 °C).

ÉTAPE 25
TORTELLINIS
montage et entreposage
- Hacher le basilic et râper le parmesan.
- Si nécessaire, incorporer la fécule délayée et laisser épaissir jusqu'à consistance désirée. Retirer du feu et combiner aux pâtes.
- Ajouter le basilic et le parmesan, et bien mélanger.

- Laisser refroidir et entreposer au frigo dans un plat hermétiquement fermé.

ÉTAPE 26
TORTELLINIS
cuisson de la garniture (suite)
- Ajouter les tomates, le bouillon concentré de poulet et le miel.
- Incorporer ensuite le pesto et le mijoté de porc, et poursuivre la cuisson environ 15 minutes.

La conservation: **5 jours**

Le jour J: **Réchauffer tout doucement dans une casserole ou au micro-ondes.**

ÉTAPE 27
HACHIS PARMENTIER
fin de la cuisson et entreposage
- Retirer le plat du four, laisser refroidir, emballer hermétiquement et entreposer au frigo.

La conservation: **3 jours. On peut aussi le congeler.**

Le jour J: **Réchauffer 15 minutes au four préchauffé à 375 °F (190 °C).**

Repérer vos recettes préférées

liste d'épicerie de la semaine 16 ☑

Fruits et légumes

18	carottes
14	gousses d'ail
1	petit bulbe de fenouil
2	rabioles (petits navets)
1	petit chou de Savoie
2 lb (1 kg)	pommes de terre jaunes (5 ou 6)
1 tasse (250 ml)	haricots jaunes
1 tasse (250 ml)	haricots verts
6	oignons verts
2 tasses (500 ml)	poireaux hachés
3 ½ tasses (875 ml)	maïs surgelé
1 ½ tasse (375 ml)	petits pois surgelés
2 boîtes de 28 oz (796 ml)	tomates italiennes en dés
1	pamplemousse
20	abricots séchés

Œufs et produits laitiers

2	œufs
2 oz (65 g)	fromage parmesan
1 ½ oz (50 g)	fromage suisse
5 oz (150 g)	fromage de chèvre à pâte molle
⅓ tasse (80 ml)	beurre
¾ tasse (180 ml)	crème à cuisson (15 %)

Viandes, poissons et fruits de mer

2 lb (1 kg)	cubes de porc
12 oz (375 g)	jambon blanc
6	tranches de bacon
1 lb (500 g)	crevettes nordiques, cuites et décortiquées

Herbes, épices, sauces et condiments

10	feuilles de basilic frais
1 c. à soupe (15 ml)	épices cajuns
1 c. à soupe (15 ml)	curcuma
2 c. à soupe (30 ml)	poivre de Sichuan [ou 1 c. à soupe (15 ml) de mélange de 5 poivres]
3 c. à soupe (45 ml)	moutarde de Dijon
½ tasse (125 ml)	pesto de basilic

Bouillons, huiles et vinaigres

8 tasses (2 L)	bouillon de bœuf
¼ tasse (60 ml)	concentré liquide de bœuf
2 c. à soupe (30 ml)	concentré liquide de poulet
1 ⅔ tasses (410 ml)	huile de canola ou de tournesol

Riz, pains, pâtes et céréales

2 paquets de 1 lb (500 g)	tortellinis
3 c. à soupe (45 ml)	chapelure italienne

Noix, graines et légumineuses

2 c. à soupe (30 ml)	graines de lin moulues
2 c. à soupe (30 ml)	graines de tournesol grillées

Fonds de cuisine

½ tasse (125 ml)	farine
2 c. à soupe (30 ml)	fécule de maïs
1 c. à soupe (15 ml)	cassonade
2 c. à soupe (30 ml)	miel
	sel et poivre en quantité suffisante

Divers

1 paquet de 14 oz (400 g)	pâte feuilletée congelée

Le plaisir

Pas toujours facile de choisir
un fromage! Laissez parler votre
instinct et n'hésitez pas à faire
appel aux conseils d'un expert.

17

Au menu cette semaine

A

SAUTÉ DE COURGETTES ET DE CHAMPIGNONS AU PROSCIUTTO

B

MIJOTÉ DE POULET À LA NOIX DE COCO

C

SUPRÊMES DE POULET EN HABIT DE PROSCIUTTO

D

FETTUCINES AU POULET ET AU CRABE

E

PIZZA-POLENTA AU GRATIN DE FROMAGE SUISSE

F

CROQUETTES DE FRUITS DE MER AU GRUYÈRE

G

SALADE DE LA MER ET SA VINAIGRETTE DE FRAMBOISE

liste des ingrédients pour chaque repas

SAUTÉ DE COURGETTES ET DE CHAMPIGNONS AU PROSCIUTTO

Les ingrédients

¼ tasse (60 ml)	huile de canola ou de tournesol
¼ tasse (60 ml)	beurre
4	minces tranches de prosciutto en julienne
6	courgettes coupées en fines rondelles
16	champignons shiitakes moyens en julienne
8	gousses d'ail hachées
6	tiges de persil frisé frais hachées finement
	sel et poivre, au goût

Le temps nécessaire: 5 minutes de préparation + 5 minutes de cuisson

 Nécessaire pour la pizza-polenta et la salade

SUPRÊMES DE POULET EN HABIT DE PROSCIUTTO

Les ingrédients

¾ tasse (180 ml)	fromage de chèvre à pâte molle
¼ tasse (60 ml)	chapelure italienne
4	demi-poitrines de poulet de 6 oz (175 g) chacune
1	courgette en julienne
4 c. à thé (20 ml)	graines de sésame grillées
8	minces tranches de prosciutto
	poivre du moulin, au goût
1 ¼ tasse (310 ml)	sauce tomate aux olives vertes (voir recette) pour accompagner

Le temps nécessaire: 10 minutes de préparation + 35 minutes de cuisson

MIJOTÉ DE POULET À LA NOIX DE COCO

Les ingrédients

¼ tasse (60 ml)	huile de sésame grillé
4	demi-poitrines de poulet de 6 oz (175 g) chacune finement émincées
2	gousses d'ail hachées
1	poivron rouge coupé en fines rondelles
1	poivron vert coupé en fines rondelles
2	courgettes coupées en fines rondelles
1 c. à soupe (15 ml)	gingembre frais haché
3 c. à soupe (45 ml)	noix de coco non sucrée râpée
2 c. à soupe (30 ml)	amandes moulues
1 c. à thé (5 ml)	cannelle
2 c. à soupe (30 ml)	sauce aux huîtres
1 tasse (250 ml)	bouillon de poulet
1 c. à soupe (15 ml)	concentré liquide de poulet
2 boîtes de 4 oz (120 g)	crabe
1 pincée	piments séchés

Le temps nécessaire: 20 minutes de préparation + 10 minutes de cuisson

FETTUCINES AU POULET ET AU CRABE

Les ingrédients

1 boîte de 1 lb (500 g)	fettucines
⅓ tasse (80 ml)	huile de canola ou de tournesol (pour les pâtes)
¼ tasse (60 ml)	huile de canola ou de tournesol (pour la garniture)
2 c. à soupe (30 ml)	huile de canola ou de tournesol (pour le poulet)
3	oignons verts hachés
3	gousses d'ail hachées
1	poivron rouge coupé en dés
3 c. à soupe (45 ml)	graines de pavot
1 pincée	poivre de Cayenne
2	demi-poitrines de poulet de 6 oz (175 g) chacune finement émincées
1 tasse (250 ml)	crème à cuisson (15 %)
1 boîte de 4 oz (120 g)	crabe
1 ¼ tasse (310 ml)	fromage parmesan frais râpé
2	tiges d'origan frais hachées sel et poivre, au gout

Le temps nécessaire: 10 minutes
de préparation + 10 minutes de cuisson

PIZZA-POLENTA AU GRATIN DE FROMAGE SUISSE

Les ingrédients

4 tasses (1 L)	bouillon de légumes
2 c. à soupe (30 ml)	thym séché
1 tasse (250 ml)	semoule de maïs fine
1 ¼ tasse (310 ml)	sauce tomate aux olives vertes (voir recette)
1 tasse (250 ml)	sauté de courgettes et de champignons au prosciutto (voir recette)
½ tasse (125 ml)	fromage parmesan frais râpé
½ paquet de 10 ½ oz (300 g)	mélange à fondue au fromage Kinsey

Le temps nécessaire: 10 minutes
de préparation + 15 minutes de cuisson

CROQUETTES DE FRUITS DE MER AU GRUYÈRE

Les ingrédients

7 oz (200 g)	cheveux d'ange
3 c. à soupe (45 ml)	huile de canola ou de tournesol (pour les pâtes)
⅓ tasse (80 ml)	huile de canola ou de tournesol (pour les croquettes)
5 oz (150 g)	crevettes nordiques, cuites et décortiquées
2	gousses d'ail hachées
1 pincée	poivre de Cayenne
2 boîtes de 4 oz (120 g)	crabe
3 c. à soupe (45 ml)	farine
3 c. à soupe (45 ml)	fromage gruyère râpé (ou fromage râpé au choix)
6	tiges d'estragon frais
2	œufs
	sel et poivre, au goût

Le temps nécessaire: 5 minutes de préparation + 10 minutes de cuisson

SALADE DE LA MER ET SA VINAIGRETTE DE FRAMBOISE

Les ingrédients

1	laitue romaine coupée en morceaux
2 tasses (500 ml)	sauté de courgettes et de champignons au prosciutto (voir recette)
1 boîte de 4 oz (120 g)	crabe égoutté
8 oz (250 g)	crevettes nordiques, cuites et décortiquées
¼ tasse (60 ml)	fromage gruyère râpé

Vinaigrette de framboise

3 c. à soupe (45 ml)	vinaigre de framboise
3 c. à soupe (45 ml)	confiture de framboises
3	tiges d'estragon frais hachées
1 c. à soupe (15 ml)	moutarde de Dijon
4	gousses d'ail hachées
1 tasse (250 ml)	huile de canola ou tournesol
	sel et poivre, au goût

Le temps nécessaire:
5 minutes de préparation

SAUCE TOMATE AUX OLIVES VERTES

Les ingrédients

1 boîte de 28 oz (796 ml)	tomates italiennes en dés
2 c. à soupe (30 ml)	pesto de basilic
1 c. à soupe (15 ml)	thym séché
10	olives vertes dénoyautées
½ tasse (125 ml)	fromage parmesan frais râpé
1 c. à soupe (15 ml)	concentré liquide de poulet
1 c. à soupe (15 ml)	miel (ou sirop d'érable)
1 c. à soupe (15 ml)	vinaigre balsamique
1 c. à soupe (15 ml)	fécule de maïs délayée dans un peu d'eau
	sel et poivre, au goût

Le temps nécessaire: 5 minutes de préparation + 10 minutes de cuisson

 Nécessaire pour la pizza et en accompagnement des suprêmes et des croquettes

La note du chef

Le prosciutto di Parma

Le prosciutto di Parma est un jambon cru de grande qualité qui vient d'Italie. Salé et séché à l'air pendant plus d'un an, il a un goût unique reconnu par les gastronomes du monde entier. On le mange habituellement tel quel avec du pain ou du melon. J'ai cherché à l'utiliser autrement, d'abord avec un poisson blanc, ce qui n'était pas une très bonne idée. Alors pourquoi ne pas essayer avec du poulet et du fromage de chèvre, un mariage de saveurs absolument divin! En cuisant enroulée dans le prosciutto, la chair du poulet conserve son humidité et toute sa tendreté. Vous m'en donnerez des nouvelles!

La semaine 17, étape par étape...

ÉTAPE 1

FETTUCINES ET CROQUETTES

préparation de l'eau pour la cuisson des pâtes

- Faire bouillir de l'eau salée dans 2 grandes casseroles.

ÉTAPE 2

PIZZA

préparation du bouillon pour la polenta

- Dans une autre casserole, porter le bouillon de légumes à ébullition avec le thym.

ÉTAPE 3

SAUTÉ, MIJOTÉ, FETTUCINES, CROQUETTES ET SUPRÊMES

préparation des légumes

- Couper une courgette en julienne pour les suprêmes; couper les autres en rondelles pour le sauté et le mijoté.
- Réserver dans 3 bols séparés.
- Hacher l'ail.
- Ajouter l'ail du mijoté et du sauté aux courgettes réservées pour ces plats.
- Réserver le reste dans des bols séparés pour les fettucines et les croquettes.
- Couper les poivrons vert et rouge en rondelles pour le mijoté.
- Couper un poivron rouge en dés pour les fettucines.
- Réserver dans les bols respectifs de chaque recette.
- Hacher le gingembre pour le mijoté et l'ajouter aux légumes en attente.

ÉTAPE 4

FETTUCINES ET CROQUETTES

cuisson des pâtes

- Plonger les fettucines et les cheveux d'ange dans leur casserole respective. Cuire al dente ou selon le temps indiqué sur les emballages.

ÉTAPE 5

PIZZA

cuisson de la polenta

- Ajouter la semoule de maïs au bouillon chaud en fouettant énergiquement.
- Poursuivre la cuisson jusqu'à ce que le mélange soit onctueux.

ÉTAPE 6

CROQUETTES

fin de la cuisson des pâtes

- Égoutter les cheveux d'ange, les remettre dans la casserole et ajouter l'huile. Bien mélanger et réserver.

ÉTAPE 7

FETTUCINES

fin de la cuisson des pâtes

- Égoutter les fettucines, les remettre dans la casserole et ajouter l'huile. Bien mélanger et réserver.

ÉTAPE 8

PIZZA

refroidissement de la polenta

- Déposer la polenta sur une plaque à pizza couverte de papier parchemin. L'étendre avec une spatule de façon à en couvrir toute la surface.
- Mettre au congélateur le temps qu'elle devienne ferme.

ÉTAPE 9

MIJOTÉ ET FETTUCINES

préparation du poulet

- Émincer finement les poitrines de poulet et réserver dans des bols séparés au frigo.

ÉTAPE 10

MIJOTÉ

cuisson et entreposage

- Chauffer l'huile dans une casserole. Colorer le poulet émincé à feu vif.
- Ajouter l'ail, les poivrons, les courgettes et le gingembre; bien mélanger.

- Ajouter la noix de coco, les amandes moulues, la cannelle, la sauce aux huîtres et le bouillon de poulet.
- Cuire environ 5 minutes ou jusqu'à la consistance désirée.
- Ajouter le concentré liquide de poulet, le crabe égoutté et les piments séchés; bien mélanger.
- Retirer du feu, laisser refroidir et entreposer au frigo dans un plat hermétiquement fermé.

La conservation: 5 jours

Le jour J: Réchauffer doucement à la poêle ou au micro-ondes.

ÉTAPE 11
SAUTÉ
cuisson du prosciutto et des légumes
- Couper les shiitakes et le persil, et ajouter au bol de légumes réservés.
- Couper le prosciutto et le faire colorer dans l'huile et le beurre à feu moyen-fort.
- Ajouter les courgettes, les shiitakes, l'ail et le persil.
- Cuire environ 3 minutes; saler et poivrer.
- Réduire le feu de moitié et poursuivre la cuisson 2 minutes (les légumes doivent rester croquants).
- Prélever 1 tasse (250 ml) pour la pizza et réserver.
- Laisser refroidir le reste et entreposer au frigo dans un plat hermétiquement fermé.

La conservation: 4 jours

Le jour J: Réchauffer rapidement dans une poêle antiadhésive.

ÉTAPE 12
SAUCE TOMATE
préparation et cuisson
- Râper le parmesan.

- Déposer tous les ingrédients, sauf la fécule de maïs, dans le bol du robot culinaire. Actionner l'appareil en quelques coups.
- Verser le mélange dans une casserole et chauffer à feu moyen.
- Ajouter la fécule délayée et poursuivre la cuisson 3 minutes ou jusqu'à consistance désirée.
- Prélever 1 1/4 tasse (310 ml) pour la pizza.
- Laisser refroidir le reste et entreposer au frigo dans un plat hermétiquement fermé.

La conservation: 5 jours

Le jour J: Réchauffer doucement à la poêle ou au micro-ondes. Servir en accompagnement des suprêmes de poulet et des croquettes de fruits de mer.

ÉTAPE 13
SUPRÊMES
préparation du fromage et des graines de sésame
- Chauffer le four à 375 °F (190 °C).
- Griller à sec les graines de sésame dans une poêle.
- À l'aide du mélangeur à main, combiner le fromage de chèvre et la chapelure en actionnant l'appareil en quelques coups.

ÉTAPE 14
SUPRÊMES
montage et cuisson
- Ouvrir chaque poitrine en portefeuille et pratiquer de légères incisions en quadrillage à l'intérieur.
- Répartir la préparation de fromage de chèvre, déposer la julienne de courgettes, saupoudrer de graines de sésame grillées, poivrer et rouler.
- Déposer chaque rouleau sur deux

tranches de prosciutto, rouler à nouveau fermement et déposer sur une plaque légèrement huilée allant au four.
- Cuire au four 35 minutes à 375 °F (190 °C).

ÉTAPE 15
FETTUCINES
cuisson des légumes
- Hacher finement les oignons verts.
- Les saisir à feu vif 1 ou 2 minutes dans l'huile destinée à la garniture, avec l'ail et le poivron déjà coupé, les graines de pavot et le poivre de Cayenne.
- Retirer du feu et réserver.

ÉTAPE 16
FETTUCINES
cuisson du poulet et entreposage
- Râper le fromage et hacher l'origan.
- Chauffer l'huile dans une poêle anti-adhésive et y colorer le poulet.
- Réduire le feu de moitié, ajouter la crème et les légumes réservés à l'étape précédente; bien mélanger.
- Continuer la cuisson environ 5 minutes.
- Ajouter le crabe égoutté, le parmesan râpé, l'origan et les pâtes; bien mélanger. Saler et poivrer au goût.
- Laisser refroidir et entreposer au frigo dans un plat hermétiquement fermé.

La conservation: 5 jours

Le jour J: Réchauffer doucement à la poêle ou au micro-ondes.

ÉTAPE 17
PIZZA
montage et cuisson
- Râper le parmesan.
- Sortir la polenta du congélateur et la napper de sauce tomate.

- Ajouter le sauté de courgettes et couvrir des fromages.
- Cuire au four 15 minutes.

ÉTAPE 18
SUPRÊMES
fin de la cuisson et entreposage
- Sortir le plat du four, laisser refroidir et entreposer au frigo dans un contenant hermétiquement fermé.

La conservation: 5 jours. On peut aussi les congeler.

Le jour J: Réchauffer 15 minutes au four préchauffé à 375 °F (190 °C). Accompagner de sauce tomate préalablement réchauffée au micro-ondes.

ÉTAPE 19
CROQUETTES
préparation, cuisson et entreposage
- Râper le fromage et hacher l'estragon.
- Mettre dans le bol du robot culinaire avec les cheveux d'ange, les crevettes, l'ail, le poivre de Cayenne, le crabe égoutté, la farine et l'estragon.
- Actionner l'appareil en quelques coups.
- Ajouter les œufs, saler et poivrer.
- Actionner de nouveau le robot de façon à obtenir un mélange homogène.
- Façonner 4 galettes avec la préparation.
- Chauffer l'huile dans une poêle antiadhésive et frire les galettes à feu moyen 3 ou 4 minutes de chaque côté.
- Laisser refroidir et entreposer au congélateur dans un contenant hermétiquement fermé.

La conservation: 2 semaines

Le jour J: Décongeler, puis réchauffer doucement à la poêle ou au micro-ondes. Accompagner de sauce tomate préalablement réchauffée au micro-ondes.

ÉTAPE 20
PIZZA
fin de la cuisson et entreposage
- Sortir la pizza du four, laisser refroidir, emballer hermétiquement et entreposer au frigo.

La conservation: 7 jours. On peut aussi la congeler.

Le jour J: Réchauffer 15 minutes au four préchauffé à 400 °F (200 °C) .

ÉTAPE 21
SALADE
préparation de la vinaigrette
- Déposer tous les ingrédients sauf l'huile dans le robot culinaire.
- Mélanger quelques secondes, puis incorporer l'huile en filet en continuant d'actionner l'appareil jusqu'à l'obtention d'un mélange homogène.
- Garder au frigo dans un contenant hermétique

La conservation: 7 jours

Le Jour J: Assembler les éléments de la salade et ajouter la vinaigrette. Servir en accompagnement des croquettes.

Repérer vos recettes préférées

SAUTÉ DE COURGETTES ET DE CHAMPIGNONS AU PROSCIUTTO	étapes 3 et 11
MIJOTÉ DE POULET À LA NOIX DE COCO	étapes 3, 9 et 10
SUPRÊMES DE POULET EN HABIT DE PROSCIUTTO	étapes 3, 12, 13, 14 et 18
FETTUCINES AU POULET ET AU CRABE	étapes 1, 3, 4, 7, 9, 15 et 16
PIZZA-POLENTA AU GRATIN DE FROMAGE SUISSE	étapes 2, 5, 8, 12, 17 et 20
CROQUETTES DE FRUITS DE MER AU GRUYÈRE	étapes 1, 3, 4, 6 et 19
SALADE DE LA MER ET SA VINAIGRETTE DE FRAMBOISE	étape 3, 11 et 21
SAUCE TOMATE AUX OLIVES VERTES	étape 12

liste d'épicerie de la semaine 17 ☑

Fruits et légumes

2	poivrons rouges
1	poivron vert
9	courgettes
19	gousses d'ail
3	oignons verts
16	champignons shiitakes moyens
1	laitue romaine
10	olives vertes dénoyautées
1 boîte de 28 oz (796 ml)	tomates italiennes en dés

Œufs et produits laitiers

2	œufs
7 ½ (225 g)	fromage parmesan
1 ½ (50 g)	fromage gruyère
5 oz (150 g)	fromage de chèvre à pâte molle
½ paquet de 10 ½ (300 g)	mélange à fondue au fromage Kinsey (ou fromage râpé de votre choix)
1 tasse (250 ml)	crème à cuisson (15 %)
¼ tasse (60 ml)	beurre

Viandes, poissons et fruits de mer

10	demi-poitrines de poulet d'environ 6 oz (175 g) chacune
12	minces tranches de prosciutto
14 oz (400 g)	crevettes nordiques, cuites et décortiquées
6 boîtes de 4 oz (120 g)	crabe

Herbes, épices, sauces et condiments

6	tiges de persil frisé frais
9	tiges d'estragon frais
2	tiges d'origan frais
3 c. à soupe (45 ml)	thym séché
1 c. à soupe (15 ml)	gingembre frais
1 c. à thé (5 ml)	cannelle
1 c. à thé (5 ml)	piment de Cayenne
1 pincée	piments séchés
2 c. à soupe (30 ml)	pesto de basilic
2 c. à soupe (30 ml)	sauce aux huîtres
1 c. à soupe (15 ml)	moutarde de Dijon

Bouillons, huiles et vinaigres

4 tasses (1 L)	bouillon de légumes
1 tasse (250 ml)	bouillon de poulet
2 c. à soupe (30 ml)	concentré liquide de poulet
2 ⅔ tasse (660 ml)	huile de canola ou de tournesol
¼ tasse (60 ml)	huile de sésame grillé
1 c. à soupe (15 ml)	vinaigre balsamique
3 c. à soupe (45 ml)	vinaigre de framboise

Riz, pains, pâtes et céréales

1 boîte de 1 lb (500 g)	fettucines
7 oz (200 g)	cheveux d'ange
¼ tasse (60 ml)	chapelure italienne
1 tasse (250 ml)	semoule de maïs fine

Noix, graines et légumineuses

2 c. à soupe (30 ml)	amandes moulues
4 c. à thé (20 ml)	graines de sésame grillées
3 c. à soupe (45 ml)	graines de pavot

Fonds de cuisine

3 c. à soupe (45 ml)	farine
1 c. à soupe (15 ml)	fécule de maïs
1 c. à soupe (15 ml)	miel (ou sirop d'érable)
	sel et poivre en quantité suffisante

Divers

3 c. à soupe (45 ml)	noix de coco non sucrée râpée
3 c. à soupe (45 ml)	confiture de framboises

18

Au menu cette semaine

1
2
3
4
5
6
7
8
9
10
11
12
13
14
15
16
17
18
19
20

liste des ingrédients pour chaque repas

MIJOTÉ DE BŒUF AU VIN DE FRAISE ET AU ROMARIN

Les ingrédients

4 lb (2 kg)i	cubes de bœuf à mijoter
⅓ tasse (80 ml)	huile de canola ou de tournesol
8	gousses d'ail hachées
¾ tasse (180 ml)	canneberges séchées
½ tasse (125 ml)	abricots séchés coupés en 2
3 c. à soupe (45 ml)	farine
2 tasses (500 ml)	vin de fraise [ou vin blanc sec + ¼ tasse (60 ml) de confiture de fraises]
8 tasses (2 L)	bouillon de bœuf
3 c. à soupe (45 ml)	concentré liquide de bœuf
1	rabiole (petit navet) coupée en dés
6	carottes moyennes coupées en morceaux
1 tasse (250 ml)	maïs surgelé
1 tasse (250 ml)	orge perlé
8 oz (225 g)	champignons coupés en 4
2	poivrons (couleur au choix) coupés en dés
2	tiges de romarin frais (les feuilles seulement)
	sel et poivre, au goût

Mirepoix

2 tasses (500 ml)	poireaux hachés
2	carottes moyennes coupées en brunoise
2	branches de céleri coupées en brunoise

Le temps nécessaire: 25 minutes de préparation + 1 h 40 de cuisson

 Nécessaire pour les roulades, le riz et la lasagne

CRÈME D'ÉPINARDS ET DE DINDE ACCOMPAGNÉE DE BRUSCHETTAS AUX POIREAUX

Les ingrédients

1 lb (500 g)	poitrine de dinde coupée en dés
⅓ tasse (80 ml)	huile de canola ou de tournesol (pour la dinde)
3 c. à soupe (45 ml)	huile de canola ou de tournesol (pour les légumes)
3 c. à soupe (45 ml)	beurre
2 lb (1 kg)	jeunes pousses d'épinards
2 tasses (500 ml)	poireaux hachés
10	gousses d'ail hachées
3 c. à soupe (45 ml)	orge perlé (ou riz)
4 tasses (1 L)	bouillon de poulet
2 c. à soupe (30 ml)	concentré liquide de poulet
1 tasse (250 ml)	crème à cuisson (15 %)
2	pommes coupées en dés
1 c. à soupe (15 ml)	mélange d'herbes de Provence ou d'herbes italiennes
1 tasse (250 ml)	fromage Doré-Mi taillé en dés, pour garnir
	sel et poivre, au goût

Bruschettas

1 ½ tasse (375 ml)	fromage cheddar râpé
2 tasses (500 ml)	mélange épinards-poireaux bien égoutté (voir l'étape 10)
1	baguette

Le temps nécessaire: 20 minutes de préparation + 25 minutes de cuisson

ROULADES D'AUBERGINE À LA DINDE ET AUX POMMES

Les ingrédients

1	aubergine d'environ 1 lb (500 g), pelée et coupée en 7 ou 8 tranches dans le sens de la longueur
1 c. à soupe (15 ml)	sel fin
1 lb (500 g)	poitrine de dinde coupée en dés
1	gros œuf
2 ½ tasses (625 ml)	fromage cheddar râpé
½ c. à thé (2 ml)	cumin moulu
3 c. à soupe (45 ml)	raisins secs
2	pommes en julienne
2	poivrons rouges en julienne
1 tasse (250 ml)	fromage Doré-Mi en julienne
3 tasses (750 ml)	sauce du mijoté de bœuf (voir recette)
	sel et poivre, au goût

Le temps nécessaire: 15 minutes
de préparation + 30 minutes de cuisson

RIZ BASMATI AU BŒUF, AU MAÏS ET À LA FETA

Les ingrédients

2 tasses (500 ml)	riz basmati
4 tasses (1 L)	bouillon de bœuf
2 c. à soupe (30 ml)	concentré liquide de bœuf
1 ¾ tasse (430 ml)	mijoté de bœuf égoutté (voir recette)
1 ½ tasse (375 ml)	maïs surgelé
1 ½ tasse (375 ml)	fromage feta coupé en dés
8	tomates séchées dans l'huile hachées finement
1 c. à soupe (15 ml)	origan séché

Le temps nécessaire: 5 minutes
de préparation + 25 minutes de cuisson

LASAGNE D'AUBERGINE AU BŒUF

Les ingrédients

2	aubergines d'environ 1 lb (500 g) chacune, pelées et coupées en 7 ou 8 tranches dans le sens de la longueur
2 c. à soupe (30 ml)	sel fin
3 c. à soupe (45 ml)	huile de canola ou de tournesol
2	poivrons rouges en julienne
2 tasses (500 ml)	mijoté de bœuf égoutté (voir recette)
1 ½ tasse (375 ml)	fromage ricotta
2	pommes coupées en julienne

Béchamel

¼ tasse (60 ml)	beurre
¼ tasse (60 ml)	farine
2 tasses (500 ml)	lait
2 tasses (500 ml)	jeunes pousses d'épinards
¼ tasse (60 ml)	raisins secs
1 ½ tasse (375 ml)	fromage cheddar râpé

Le temps nécessaire: 30 minutes de préparation + 45 minutes de cuisson

La note du chef

Le mijoté de bœuf aux fraises

Qu'on les mange nature, en tarte, en confitures ou en coulis, les fraises du Québec sont pour moi les meilleures au monde! Mais saviez-vous qu'il existe maintenant chez nous des apéros, des vins et des digestifs faits avec nos fraises, délicieux à boire et tellement inspirants en cuisine? J'ai donc repensé mon mijoté de bœuf en remplaçant le traditionnel vin rouge par du vin de fraise. Fini l'amertume du vin rouge et bienvenue aux riches parfums de la fraise. Et contrairement aux autres alcools qu'on utilise habituellement pour faire des sauces, le vin de fraise a l'avantage de conserver ses arômes quand on le fait chauffer.

La semaine 18, étape par étape…

ÉTAPE 1
MIJOTÉ, CRÈME D'ÉPINARDS, ROULADES ET LASAGNE
préparation des poivrons et de l'ail
- Couper les poivrons et hacher l'ail. Réserver dans des bols respectifs pour chaque recette.

ÉTAPE 2
MIJOTÉ
préparation des autres légumes et des abricots
- Couper les légumes destinés à la mirepoix et les abricots. Mettre tous ces ingrédients dans le bol contenant l'ail.
- Couper les autres légumes du mijoté et réserver.

ÉTAPE 3
MIJOTÉ
cuisson de la viande
- Chauffer l'huile dans une grande casserole et y colorer le bœuf à feu vif, 1 ou 2 minutes.

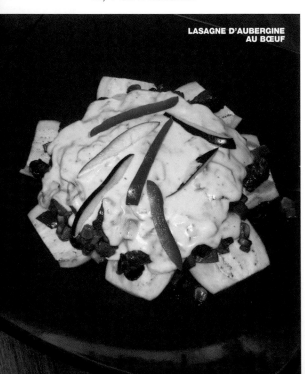

LASAGNE D'AUBERGINE
AU BŒUF

- Ajouter la mirepoix, l'ail, les canneberges et les abricots. Saupoudrer de farine et bien mélanger. Incorporer le vin de fraise et poursuivre la cuisson 1 ou 2 minutes.
- Ajouter le bouillon et le concentré de bœuf. Réduire le feu de moitié et laisser mijoter 45 minutes.

ÉTAPE 4
LASAGNE ET ROULADES
dégorgement des aubergines
- Peler et couper les aubergines en fines tranches (7 ou 8) dans le sens de la longueur.
- Déposer dans un plat de pyrex (3 L), saupoudrer de sel et faire dégorger environ 20 minutes.

ÉTAPE 5
CRÈME D'ÉPINARDS ET ROULADES
préparation de la dinde
- Couper la dinde en dés et réserver au frigo.

ÉTAPE 6
ROULADES ET LASAGNE
préparation du fromage
- Couper le fromage Doré-Mi en julienne pour les roulades et réserver.
- Râper le cheddar pour ces 2 recettes et réserver séparément.

ÉTAPE 7
CRÈME D'ÉPINARDS, ROULADES ET LASAGNE
préparation des pommes
- Couper les pommes en dés pour la crème d'épinards, et en julienne pour les roulades et la lasagne.
- Réserver dans 3 bols séparés contenant de l'eau légèrement citronnée.

ÉTAPE 8
CRÈME D'ÉPINARDS
cuisson de la dinde
- Chauffer l'huile dans une grande casserole.
- Faire colorer la moitié de la dinde coupée à feu moyen-vif, pendant quelques minutes.
- Égoutter, saler, poivrer et réserver.

ÉTAPE 9
LASAGNE ET ROULADES
fin du dégorgement des aubergines
- Rincer les aubergines à l'eau froide et éponger. Réserver le tiers pour les roulades et le reste pour la lasagne.
- Chauffer le four à 375 °F (190 °C).

ÉTAPE 10
CRÈME D'ÉPINARDS
cuisson des légumes
- Hacher les poireaux.
- Chauffer l'huile et le beurre dans une grande casserole. Saisir à feu vif les épinards, les poireaux et l'ail 2 ou 3 minutes.
- Prélever 2 tasses (500 ml) de ce mélange bien égoutté pour les bruschettas, laisser refroidir et entreposer au frigo dans un contenant hermétiquement fermé.

ÉTAPE 11
CRÈME D'ÉPINARDS
cuisson (suite)
- Ajouter l'orge au contenu de la casserole avec le bouillon et le concentré de poulet. Poursuivre la cuisson 20 minutes à feu moyen.

ÉTAPE 12
MIJOTÉ
ajout des autres ingrédients
- Ajouter la rabiole, les carottes, le maïs, l'orge et les champignons, et poursuivre la cuisson 45 minutes.

ÉTAPE 13
CRÈME D'ÉPINARDS
fin de la cuisson et entreposage
- Retirer la casserole du feu. À l'aide d'un mélangeur à main, réduire le mélange en une préparation onctueuse.
- En actionnant l'appareil, ajouter lentement la crème;
- Rectifier l'assaisonnement, puis ajouter la dinde cuite, les pommes épongées et les herbes de Provence.
- Laisser refroidir et entreposer au frigo dans un contenant hermétiquement fermé.

La conservation: 7 jours

Le jour J: Réchauffer doucement à la casserole ou au micro-ondes, puis ajouter des dés de fromage Doré-Mi.
Pour préparer les bruschettas, couper la baguette dans le sens de la longueur et faire griller quelques minutes au four préchauffé à 375 °F (190 °F).
Répartir le mélange d'épinards et de poireaux réservé sur chaque demi-baguette et couvrir de cheddar râpé.
Couper chacune en 6 et gratiner quelques minutes.

ÉTAPE 14
ROULADES
montage et cuisson
- Déposer le reste de la dinde, l'œuf, le cheddar et le cumin dans le bol du robot culinaire. Saler, poivrer et hacher jusqu'à consistance homogène. Incorporer les raisins secs à la cuillère.
- Répartir cette préparation sur les tranches d'aubergine. Ajouter les juliennes de pommes (bien épongées), de poivrons et de fromage Doré-Mi.

- Façonner en rouleaux et maintenir ainsi avec des cure-dents. Déposer les roulades dans un plat de pyrex (3 L).
- Prélever 3 tasses (750 ml) de sauce du mijoté de bœuf en cours de cuisson et napper les roulades.
- Cuire au four 30 minutes.

ÉTAPE 15
MIJOTÉ
ajout des derniers ingrédients,
fin de la cuisson et entreposage

- Environ 5 minutes avant la fin de la cuisson, ajouter les poivrons, les feuilles de romarin, le sel et le poivre.
- Prélever 3 3/4 tasses (930 ml) de mijoté bien égoutté pour la lasagne et le riz, et réserver.
- Laisser refroidir le reste et entreposer au frigo dans un plat hermétiquement fermé.

La conservation: 7 jours

Le jour J: Réchauffer doucement à la casserole ou au micro-ondes.

ÉTAPE 16
RIZ
préparation et cuisson

- Bien rincer le riz à grande eau afin d'en retirer l'amidon. Le mettre dans une grande casserole avec le bouillon et le concentré de bœuf.
- Porter à ébullition, couvrir et réduire le feu au minimum. Laisser mijoter environ 20 minutes ou jusqu'à ce que le liquide soit complètement absorbé.

ÉTAPE 17
LASAGNE
préparation de la béchamel

- Faire fondre le beurre dans une casserole.
- Ajouter la farine en pluie et cuire de 2 à 3 minutes jusqu'à l'obtention d'une boule.
- Incorporer le lait en filet jusqu'à l'obtention d'une sauce onctueuse, puis retirer du feu.

ÉTAPE 18
LASAGNE
montage et cuisson

- Chauffer l'huile dans une poêle antiadhésive et griller les poivrons; réserver.
- À part, mélanger le fromage ricotta et 2 tasses (500 ml) du mijoté de bœuf prélevé.
- Verser une louche de béchamel dans le fond d'un plat de pyrex et déposer la moitié des tranches d'aubergine.
- Couvrir du mélange mijoté-ricotta,

CRÈME D'ÉPINARDS ET DE DINDE ACCOMPAGNÉE DE BRUSCHETTAS AUX POIREAUX

ajouter les poivrons grillés, les pommes bien épongées, puis une autre louche de béchamel.
- Ajouter le reste des aubergines et terminer avec la béchamel.
- Cuire au four 30 minutes à 375 °F (190 °C).

ÉTAPE 19
RIZ
fin de la cuisson et entreposage
- Couper le feta et les tomates séchées.
- Ajouter au contenu de la casserole avec le reste du mijoté prélevé, le maïs et l'origan; bien mélanger.
- Laisser refroidir et entreposer au frigo dans un plat hermétiquement fermé.

La conservation: 3 jours

Le jour J: Réchauffer au micro-ondes.

ÉTAPE 20
ROULADES
fin de la cuisson et entreposage
- Sortir le plat du four, laisser refroidir et entreposer au frigo dans un plat hermétiquement fermé.

La conservation: 5 jours

Le jour J: Réchauffer au four préchauffé à 375 °F (190 °F) ou au micro-ondes.

ÉTAPE 21
LASAGNE
fin de la cuisson et entreposage
- Sortir le plat du four, laisser refroidir, emballer hermétiquement et entreposer au frigo.

La conservation: 4 jours

Le jour J: Réchauffer au four préchauffé à 375 °F (190 °F) ou au micro-ondes.

Repérer vos recettes préférées

MIJOTÉ DE BŒUF AU VIN DE FRAISE ET AU ROMARIN	étapes 1, 2, 3, 12 et 15
CRÈME D'ÉPINARDS ET DE DINDE ACCOMPAGNÉE DE BRUSCHETTAS AUX POIREAUX	étapes 1, 5, 7, 8, 10, 11 et 13
ROULADES D'AUBERGINE À LA DINDE ET AUX POMMES	étapes 1, 2, 3, 4, 5, 6, 7, 9, 12, 14, 15 et 20
RIZ BASMATI AU BŒUF, AU MAÏS ET À LA FETA	étapes 1, 2, 3, 12, 15, 16 et 19
LASAGNE D'AUBERGINE AU BŒUF	étapes 1, 2, 3, 4, 6, 7, 9, 12, 15, 17, 18 et 21

1
2
3
4
5
6
7
8
9
10
11
12
13
14
15
16
17
18
19
20

liste d'épicerie de la semaine 18 ✓

Fruits et légumes

2	branches de céleri
8	carottes
4	poivrons rouges
2	poivrons (couleur au choix)
3	aubergines d'environ 1 lb (500 g) chacune
18	gousses d'ail
1	rabiole (petit navet)
8 oz (225 g)	champignons
4 tasses (1 L)	poireaux hachés
un peu plus de 2 lb (1 kg)	jeunes pousses d'épinards
2 ½ tasses (625 ml)	maïs surgelé
8	tomates séchées dans l'huile
6	pommes
½ tasse (125 ml)	abricots séchés
¾ tasse (180 ml)	canneberges séchées
½ tasse (125 ml)	raisins secs

Œufs et produits laitiers

1	gros œuf
18 oz (550 g)	fromage cheddar
7 oz (200 g)	fromage Doré-Mi
7 oz (200 g)	fromage ricotta
7 oz (200 g)	fromage feta
1 tasse (250 ml)	crème à cuisson (15 %)
2 tasses (500 ml)	lait
½ tasse (125 ml)	beurre

Viandes, poissons et fruits de mer

4 lb (2 kg)	cubes de bœuf à mijoter
2 lb (1 kg)	poitrine de dinde

Herbes, épices, sauces et condiments

2	tiges de romarin frais
1 c. à soupe (15 ml)	origan séché
½ c. à thé (2 ml)	cumin moulu
1 c. à soupe (15 ml)	mélange d'herbes de Provence ou d'herbes italiennes

Bouillons, huiles et vinaigres

4 tasses (1 L)	bouillon de poulet
12 tasses (3 L)	bouillon de bœuf
2 c. à soupe (30 ml)	concentré liquide de poulet
⅓ tasse (80 ml)	concentré liquide de bœuf
1 tasse (250 ml)	huile de canola ou de tournesol

Riz, pains, pâtes et céréales

2 tasses (500 ml)	riz basmati
1	baguette
1 ¼ tasse (310 ml)	orge perlé

Fonds de cuisine

½ tasse (125 ml)	farine
	sel et poivre en quantité suffisante

Divers

2 tasses (500 ml)	vin de fraise [ou vin blanc sec + ¼ tasse (60 ml) de confiture de fraises]

1
2
3
4
5
6
7
8
9
10
11
12
13
14
15
16
17
18
19
20

19

Au menu cette semaine

liste des ingrédients pour chaque repas

FILETS DE PORC FARCIS À L'ITALIENNE

Les ingrédients

4	filets de porc d'environ 8 oz (250 g) chacun
4	saucisses italiennes (fortes ou douces, au goût)
1 c. à soupe (15 ml)	graines de fenouil
1	poivron jaune coupé en brunoise
2 c. à soupe (30 ml)	mélange de fromage râpé à tacos
¼ tasse (60 ml)	huile d'olive
2 c. à soupe (30 ml)	mélange d'herbes italiennes
1 tasse (250 ml)	sauce tomate au poivre vert (voir recette) pour accompagner
	sel et poivre, au goût

Le temps nécessaire: 10 minutes de préparation + 20 minutes de cuisson

RISOTTO AUX BOULETTES ITALIENNES ET AU FENOUIL

Les ingrédients

4	saucisses italiennes (fortes ou douces, au goût)
3 tasses (750 ml)	sauce tomate au fenouil (voir recette ci-dessous)
1 tasse (250 ml)	bouillon de poulet
1 ¾ tasse (430 ml)	riz arborio
¼ tasse (60 ml)	huile de canola ou de tournesol

Sauce tomate au fenouil

2 c. à soupe (30 ml)	huile de canola ou de tournesol
½	orange (le zeste)
2 c. à soupe (30 ml)	poivre de Sichuan [ou 1 c. à soupe (15 ml) de mélange de 5 poivres]
2 c. à soupe (30 ml)	graines de fenouil
2	oignons verts hachés
2	gousses d'ail hachées
2 boîtes de 28 oz (796 ml)	tomates italiennes en dés
2 c. à soupe (30 ml)	miel (ou sirop d'érable)
2 c. à soupe (30 ml)	concentré liquide de poulet
2 c. à soupe (30 ml)	fromage parmesan frais râpé
1 c. à soupe (15 ml)	thym séché
	sel et poivre, au goût

Le temps nécessaire: 15 minutes de préparation + 40 minutes de cuisson

MÉLANGE DE BASE POUR LES GNOCCHIS ET LES GALETTES

Les ingrédients

1 ½ lb (750 g)	pommes de terre jaunes (4 ou 5), pelées et coupées en dés
½ lb (250 g)	carottes (environ 4) coupées en rondelles
4 tasses (1 L)	farine tout usage
2	gros œufs
3 c. à soupe (45 ml)	beurre
1 tasse (250 ml)	fromage parmesan en poudre
2 c. à soupe (30 ml)	thym séché
	sel et poivre, au goût

Le temps nécessaire: 5 minutes
de préparation + 40 minutes de cuisson

GALETTES DE POMMES DE TERRE ET DE POULET

Les ingrédients

2 c. à soupe (30 ml)	huile de canola ou de tournesol
2	demi-poitrines de poulet d'environ 8 oz (250 g) chacune
1 ½ tasse (375 ml)	graines de tournesol rôties et salées
	sel et poivre

Le temps nécessaire: 20 minutes
de préparation + 35 minutes de cuisson

GNOCCHIS AU POULET CAJUN

Les ingrédients

La moitié	mélange de base pour les gnocchis et les galettes (voir recette)
2	demi-poitrines de poulet d'environ 8 oz (250 g) chacune
2 c. à soupe (30 ml)	huile de canola ou de tournesol (pour le poulet)
2 c. à soupe (30 ml)	huile de canola ou de tournesol (pour les gnocchis)
1 c. à soupe (15 ml)	épices cajuns
1 c. à thé (5 ml)	thym séché
1 ½ tasse (375 ml)	sauce tomate au poivre vert (voir recette)

Le temps nécessaire: 20 minutes
de préparation + 40 minutes de cuisson

SALADE ROMAINE ET SA VINAIGRETTE CÉSAR

Les ingrédients

2	laitues romaines déchiquetées
2	tomates coupées en dés
4	carottes moyennes coupées en rondelles
1	poivron jaune, coupé en rondelles et grillé
1	oignon, coupé en rondelles et grillé
1 ½ tasse (375 ml)	croûtons à l'ail

Vinaigrette César

2 tasses (500 ml)	huile de canola ou de tournesol
2	gros blancs d'œufs
2 c. à soupe (30 ml)	moutarde de Dijon
2 c. à soupe (30 ml)	vinaigre de cidre de pomme

2	échalotes françaises hachées
6	gousses d'ail hachées
1 c. à soupe (15 ml)	câpres
2	filets d'anchois (facultatif)
2 c. à soupe (30 ml)	graines de lin moulues
1 c. à thé (5 ml)	curcuma
½ c. à thé (2 ml)	poivre de Cayenne
1 c. à thé (5 ml)	miel
1 c. à thé (5 ml)	thym séché
	sel et poivre, au goût

Le temps nécessaire:
10 minutes de préparation

HAMBURGERS ITALIENS

Les ingrédients

4	pains à hamburger
4	saucisses italiennes (fortes ou douces, au goût)
⅓ tasse (80 ml)	huile de canola ou de tournesol
1	poivron jaune, coupé en rondelles et grillé
1	oignon, coupé en rondelles et grillé
1	tomate tranchée
2 tasses (500 ml)	fromage mozzarella râpé
4	feuilles de laitue
1 tasse (250 ml)	sauce tomate au poivre vert (voir recette) pour accompagner

Le temps nécessaire: 10 minutes
de préparation + 15 minutes de cuisson

SAUCE TOMATE AU POIVRE VERT

Les ingrédients

2 c. à soupe (30 ml)	huile de canola ou de tournesol
½	citron (le zeste)
1 c. à soupe (15 ml)	poivre vert en saumure épongé
2	oignons verts hachés
2	gousses d'ail hachées
2 boîtes de 28 oz (796 ml)	tomates italiennes en dés
2 c. à soupe (30 ml)	pesto de basilic
2 c. à soupe (30 ml)	miel (ou sirop d'érable)
2 c. à soupe (30 ml)	concentré liquide de poulet
2 c. à soupe (30 ml)	fromage parmesan frais râpé
2 c. à soupe (30 ml)	fécule de maïs délayée dans un peu d'eau froide
	sel et poivre, au goût

Le temps nécessaire: 10 minutes
de préparation + 25 minutes de cuisson

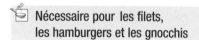 Nécessaire pour les filets,
les hamburgers et les gnocchis

La note du chef

La salade César

La laitue romaine que nous connaissons aujourd'hui tire ses origines d'une laitue sauvage qui pousse sur tige. Les Romains l'ont modifiée par croisement pour obtenir une plante sans tige aux feuilles comestibles. Quant à la salade César, elle n'a pas été inventée par l'empereur romain Jules César, mais par le restaurateur américain Cesar Cardini. La petite histoire raconte que, le 4 juillet 1924, le pauvre Cesar manqua de victuailles pour nourrir les clients de son établissement de Tijuana, au Nouveau-Mexique. Il eut alors l'idée de préparer à la sauvette une salade-repas avec les ingrédients qu'il avait sous la main. Combien d'inventions géniales n'auraient jamais vu le jour si le destin ne s'en était pas mêlé!

La semaine 19, étape par étape...

ÉTAPE 1
GALETTES ET GNOCCHIS
Préparation de l'eau pour la cuisson des légumes
- Dans une grande casserole, faire bouillir de l'eau.

ÉTAPE 2
GALETTES ET GNOCCHIS
Préparation et cuisson des légumes du mélange de base
- Peler et couper les pommes de terre et les carottes.
- Cuire dans l'eau bouillante salée environ 30 minutes.

Il est très important de peser les légumes pour cette recette afin de respecter les proportions, soit 1 ½ lb (750 g) de pommes de terre pour ½ lb (250 g) de carottes. Il en va de la réussite des gnocchis.

ÉTAPE 3
FILETS, HAMBURGERS, GNOCCHIS ET RISOTTO
Préparation des ingrédients pour les sauces au fenouil et au poivre vert
- Râper les zestes d'orange et de citron, et réserver.
- Hacher les oignons verts et l'ail, et réserver.
- Râper le parmesan et réserver séparément pour les gnocchis et le risotto, dans 2 petits contenants.

ÉTAPE 4
FILETS, HAMBURGERS ET GNOCCHIS
cuisson de la sauce tomate au poivre vert
- Chauffer l'huile dans une casserole et colorer à feu vif le zeste, le poivre vert épongé, les oignons verts et l'ail.
- Ajouter les tomates, le pesto, le miel, le concentré liquide et le parmesan, saler et poivrer. Laisser mijoter 15 minutes.

ÉTAPE 5
RISOTTO
cuisson de la sauce tomate au fenouil
- Chauffer l'huile dans une casserole et colorer à feu vif le zeste, le poivre de Sichuan, les graines de fenouil, les oignons verts et l'ail.
- Ajouter les tomates, le miel, le concentré liquide, le parmesan et le thym, saler et poivrer. Laisser mijoter 15 minutes.

ÉTAPE 6
FILETS, RISOTTO ET HAMBURGERS
préparation de la chair à saucisse
- Retirer la peau des 12 saucisses.
- Façonner le tiers en 4 grandes boulettes et réserver au frigo (jusqu'à 4 jours) dans un contenant hermétiquement fermé.
- Façonner un autre tiers en une quinzaine de petites boulettes et réserver au frigo.
- Réserver le reste tel quel au frigo.

ÉTAPE 7
FILETS, SALADE ET HAMBURGERS
préparation des poivrons et des oignons
- Couper un poivron jaune en brunoise et réserver pour les filets.
- Couper les poivrons et les oignons de la salade et des hamburgers en rondelles, chauffer un peu d'huile dans une poêle cannelée et griller.
- Refroidir et réserver au frigo.

ÉTAPE 8
FILETS, HAMBURGERS ET GNOCCHIS
fin de la cuisson de la sauce tomate au poivre vert et entreposage
- Incorporer la fécule de maïs délayée et laisser épaissir à la consistance désirée.
- Retirer du feu et prélever 1½ tasse

(375 ml) pour les gnocchis.
- Laisser refroidir le reste et entreposer au frigo dans un plat hermétiquement fermé.

La conservation: 7 jours

ÉTAPE 9
RISOTTO
fin de la cuisson de la sauce tomate au fenouil
- Retirer du feu et garder 3 tasses (750 ml) de sauce dans la casserole pour le risotto; garder au chaud.
- Laisser refroidir le reste et entreposer au frigo dans un plat hermétiquement fermé pour servir sur des pâtes ou en duo de sauces avec les filets de porc.

La conservation: 7 jours

ÉTAPE 10
RISOTTO
cuisson des boulettes de viande
- Pocher les petites boulettes environ 15 minutes dans la sauce tomate au fenouil bien chaude.

ÉTAPE 11
FILETS
Montage et entreposage
- Mélanger la chair à saucisse prévue pour cette recette avec les graines de fenouil, le poivron jaune réservé, le fromage râpé saler et poivrer.
- Ouvrir les filets dans le sens de la longueur, farcir, refermer et ficeler.
- Emballer hermétiquement et entreposer au frigo.

La conservation: 3 jours

Le jour J: Badigeonner les filets d'huile et saupoudrer d'herbes italiennes. Cuire 20 minutes au four préchauffé à 375 °F (190 °C). Servir avec la sauce tomate au

poivre vert réchauffée doucement au micro-ondes et, si désiré, la salade du menu.

ÉTAPE 12
GALETTES ET GNOCCHIS
fin de la cuisson des légumes du mélange de base
- Égoutter les pommes de terre et les carottes; réserver.

ÉTAPE 13
RISOTTO
fin de la cuisson des boulettes
- Ajouter le bouillon de poulet à la sauce tomate au fenouil.
- Bien mélanger et réduire le feu au minimum.

ÉTAPE 14
RISOTTO
cuisson du riz et entreposage
- Chauffer l'huile dans une grande casserole et faire nacrer le riz environ 2 minutes.
- Retirer les boulettes de la sauce tomate et réserver.
- Louche par louche, ajouter la sauce chaude au riz en mélangeant constamment et en prenant soin de laisser absorber presque complètement le liquide entre chaque louche.
- Retirer du feu, ajouter les boulettes, laisser refroidir et entreposer au frigo dans un plat hermétiquement fermé.

La conservation: 4 jours

Le jour J: Réchauffer doucement au micro-ondes.

Le risotto est réussi quand sa texture est crémeuse et que les grains de riz sont légèrement croquants.

ÉTAPE 15
GALETTES ET GNOCCHIS
cuisson du poulet
- Chauffer le four à 375 °F (190 °F).
- Chauffer l'huile dans une poêle et cuire les 4 poitrines de poulet.
- En saler et en poivrer 2, les émincer finement et réserver.
- Saupoudrer les 2 autres d'épices cajuns et de thym, les couper en dés et réserver.

ÉTAPE 16
GALETTES ET GNOCCHIS
préparation du mélange de base
- Dans un grand bol à mélanger, réduire les pommes de terre et les carottes en purée.
- Ajouter graduellement la farine tout en la tamisant pour éviter la formation de grumeaux. Bien mélanger.
- Incorporer les œufs, le beurre, le parmesan, le thym, saler et poivrer. Réserver.

ÉTAPE 17
GNOCCHIS
préparation de l'eau pour la cuisson
- Faire bouillir de l'eau salée dans une grande casserole.

ÉTAPE 18
GALETTES
préparation et cuisson
- Bien combiner le poulet émincé avec la moitié du mélange de base pour galettes et gnocchis.
- Façonner 4 grosses boulettes, enrober chacune de graines de tournesol et déposer sur une plaque à cuisson.
- Cuire au four 25 minutes.

ÉTAPE 19
GNOCCHIS
Cuisson
- Mettre le reste du mélange de base dans une poche à pâtisserie.

- Presser puis, à l'aide de ciseaux bien propres, couper la préparation à la longueur désirée et laisser tomber dans l'eau bouillante.
- Retirer les gnocchis de l'eau quand ils remontent à la surface et éponger.

ÉTAPE 20
GNOCCHIS
suite de la cuisson et entreposage
- Chauffer l'huile dans une poêle et faire colorer à feu vif les gnocchis et le poulet aux épices cajuns.
- Ajouter la sauce tomate au poivre vert et laisser mijoter de 2 à 3 minutes.
- Laisser refroidir et entreposer au frigo dans un plat hermétiquement fermé.

La conservation: 3 jours

Le jour J: Réchauffer doucement à la poêle ou au micro-ondes.

Pour augmenter quelque peu le temps de conservation, on peut entreposer séparément au frigo les gnocchis, le poulet et la sauce.

ÉTAPE 21
SALADE
préparation de la vinaigrette César et entreposage
- Moudre les graines de lin.
- Couper grossièrement les échalotes françaises et l'ail.
- Déposer tous les ingrédients dans un bol étroit.
- À l'aide d'un mélangeur à main, combiner en remontant doucement le pied de l'appareil de façon à obtenir une préparation onctueuse.
- Entreposer au frigo dans un contenant hermétiquement fermé.

ÉTAPE 22
SALADE
préparation des légumes et entreposage
- Couper les laitues, les tomates et les carottes.
- Mélanger, puis ajouter la moitié des oignons et des poivrons grillés refroidis.
- Entreposer au frigo dans un contenant hermétiquement fermé.

La conservation: 5 jours

Le jour J: Incorporer la vinaigrette César et les croûtons. Cette salade santé accompagne très bien les hamburgers, les filets de porc et les galettes de pommes de terre et de poulet.

ÉTAPE 23
GALETTES
fin de la cuisson et entreposage
- Retirer les galettes du four, laisser refroidir et entreposer au frigo dans un plat hermétiquement fermé.

La conservation: 5 jours.
On peut aussi les congeler.

Le jour J: Réchauffer 15 minutes au four préchauffé à 300 °F (150 °C) ou doucement au micro-ondes. Servir avec la salade.

ÉTAPE 24
HAMBURGERS
montage

Le jour J: Chauffer l'huile dans une poêle et cuire les boulettes de viande. Assembler les hamburgers en déposant sur la viande le reste des oignons et des poivrons grillés, les tranches de tomates, le fromage, la laitue et la sauce tomate au poivre vert préalablement réchauffée au micro-ondes. Accompagner de la salade.

Repérer vos recettes préférées

FILETS DE PORC FARCIS À L'ITALIENNE	étapes 3, 4, 6, 7, 8 et 11
RISOTTO AUX BOULETTES ITALIENNES ET AU FENOUIL	étapes 3, 5, 6, 9, 10, 13 et 14
GALETTES DE POMMES DE TERRE ET DE POULET	étapes 1, 2, 12, 15, 16, 18 et 23
GNOCCHIS AU POULET CAJUN	étapes 1, 2, 3, 4, 8, 12, 15, 16, 17, 19 et 20
SALADE ROMAINE ET SA VINAIGRETTE CÉSAR	étapes 21 et 22
HAMBURGERS ITALIENS	étapes 3, 4, 6, 7, 8 et 24
SAUCE TOMATE AU POIVRE VERT	étapes 3, 4 et 8

1
2
3
4
5
6
7
8
9
10
11
12
13
14
15
16
17
18
19
20

liste d'épicerie de la semaine 19 ☑

Fruits et légumes

8	carottes
5	pommes de terre jaunes
2	oignons moyens
3	poivrons jaunes
3	tomates
10	gousses d'ail
4	oignons verts
2	échalotes françaises
2	laitues romaines
4 boîtes de 28 oz (796 ml)	tomates italiennes en dés
1	citron
1	orange

Œufs et produits laitiers

4	gros œufs
7 oz (200 g)	fromage mozzarella
1 oz (25 g)	fromage parmesan frais râpé
1 tasse (250 ml)	fromage parmesan en poudre
2 c. à soupe (30 ml)	mélange de fromage râpé à tacos
3 c. à soupe (45 ml)	beurre

Viandes, poissons et fruits de mer

4	demi-poitrines de poulet d'environ 8 oz (250 g) chacune
4	filets de porc d'environ 8 oz (250 g) chacun
12	saucisses italiennes (fortes ou douces, au goût)

Herbes, épices, sauces et condiments

2 c. à soupe (30 ml)	mélange d'herbes italiennes
¼ tasse (60 ml)	thym séché
1 c. à soupe (15 ml)	épices cajuns
1 c. à thé (5 ml)	curcuma
½ c. à thé (2 ml)	poivre de Cayenne
2 c. à soupe (30 ml)	poivre de Sichuan [ou 1 c. à soupe (15 ml) de mélange de 5 poivres]
1 c. à soupe (15 ml)	poivre vert en saumure
2 c. à soupe (30 ml)	pesto de basilic
2 c. à soupe (30 ml)	moutarde de Dijon
1 c. à soupe (15 ml)	câpres
2	filets d'anchois (facultatif)
3 c. à soupe (45 ml)	graines de fenouil

Bouillons, huiles et vinaigres

1 tasse (250 ml)	bouillon de poulet
¼ tasse (60 ml)	concentré liquide de poulet
3 ⅓ tasses (830 ml)	huile de canola ou de tournesol
¼ tasse (60 ml)	huile d'olive
2 c. à soupe (30 ml)	vinaigre de cidre de pomme

Riz, pains, pâtes et céréales

1 ¾ tasse (430 ml)	riz arborio
4	pains à hamburger
1 ½ tasse (375 ml)	croûtons à l'ail

Noix, graines et légumineuses

2 c. à soupe (30 ml)	graines de lin moulues
1 ½ tasse (375 ml)	graines de tournesol, rôties et salées

Fonds de cuisine

4 tasses (1 L)	farine
2 c. à soupe (30 ml)	fécule de maïs
⅓ tasse (80 ml)	miel
	sel et poivre en quantité suffisante

1
2
3
4
5
6
7
8
9
10
11
12
13
14
15
16
17
18
19
20

20

Au menu cette semaine

liste des ingrédients pour chaque repas

JARDINIÈRE AUX HERBES DE PROVENCE

Les ingrédients

1 c. à soupe (15 ml)	mélange d'herbes de Provence
6 c. à soupe (90 ml)	beurre à l'ail
½ tasse (125 ml)	bouillon de poulet
1 c. à soupe (15 ml)	concentré liquide de poulet
1 c. à soupe (15 ml)	sauce soya
6 tasses (1,5 L)	jardinière de légumes surgelés
1 c. à soupe (15 ml)	miel
1	citron (le jus)
	sel et poivre, au goût

Le temps nécessaire: 5 minutes
de préparation + 10 minutes de cuisson

 Nécessaire pour le sauté

TORTILLAS AUX CREVETTES ET AUX AVOCATS

Les ingrédients

8	grandes tortillas
La moitié	tartinade de tofu (voir recette)
2 tasses (500 ml)	fromage Monterey Jack râpé
16	abricots séchés coupés en 2
8 oz (250 g)	crevettes nordiques, cuites et décortiquées
2	avocats coupés en lanières
1 ½ tasse (375 ml)	mesclun [mélange de différentes salades, soit le tiers d'un sac de 12 oz (350 g)]

Le temps nécessaire: 10 minutes
de préparation

MIJOTÉ DE PORC AU VIN ROUGE ET AUX ABRICOTS

Les ingrédients

⅓ tasse (80 ml)	huile de canola ou de tournesol
4 lb (2 kg)	cubes de porc bien dégraissés
4	carottes coupées en rondelles
8 oz (225 g)	champignons blancs coupés en 4
1 tasse (250 ml)	poireaux hachés
2 c. à soupe (30 ml)	gingembre frais haché finement
2	gousses d'ail hachées finement
1 c. à soupe (15 ml)	thym séché
2 c. à soupe (30 ml)	farine
1 tasse (250 ml)	vin rouge
6 tasses (1,5 L)	bouillon de bœuf
2 c. à soupe (30 ml)	concentré liquide de bœuf
1	courgette coupée en dés
1	poivron rouge coupé en dés
1 ½ tasse (375 ml)	maïs surgelé
20	abricots séchés coupés en 2
⅓ tasse (80 ml)	confiture d'abricots
	sel et poivre, au goût

Le temps nécessaire: 20 minutes
de préparation + 80 minutes de cuisson

 Nécessaire pour la terrine de porc

FILETS DE PORC EN SAUCE BARBECUE

Les ingrédients

2	filets de porc d'environ 12 oz (375 g) chacun

Sauce barbecue

6	gousses d'ail hachées finement
2 c. à soupe (30 ml)	gingembre frais haché
½ tasse (125 ml)	vinaigre de cidre de pomme (ou de vin)
1 c. à soupe (15 ml)	sauce chili
1 c. à thé (5 ml)	fumée liquide mesquite
¾ tasse (180 ml)	ketchup
½ tasse (125 ml)	moutarde de Dijon
⅓ tasse (80 ml)	miel (ou cassonade)
3 c. à soupe (45 ml)	sauce Worcestershire

Le temps nécessaire: 5 minutes de préparation + 20 minutes de cuisson

SALADE À LA MANGUE ET AUX CREVETTES ACCOMPAGNÉE DE CROÛTONS AU TOFU

Les ingrédients

2	avocats coupés en dés
1 sac de 350 g	mesclun (mélange de différentes salades)
1 lb (500 g)	crevettes nordiques, cuites et décortiquées
2	œufs durs coupés en rondelles
2	tomates coupées en dés

Croûtons au tofu

1	baguette
La moitié	tartinade de tofu (voir recette)

Vinaigrette

1 tasse (250 ml)	mangue en dés surgelée et dégelée
2 c. à soupe (30 ml)	gingembre frais haché finement
4	gousses d'ail
5	tiges de coriandre fraîche
2	limes (le jus)
3 c. à soupe (45 ml)	sirop d'érable
1 ½ tasse (375 ml)	huile de canola ou de tournesol
	sel et poivre, au goût

Le temps nécessaire: 10 minutes de préparation

TERRINE DE PORC AUX 3 FROMAGES

Les ingrédients

1 ½ lb (750 g)	porc haché
3 c. à soupe (45 ml)	graines de lin moulues
6	gros œufs
1 tasse (250 ml)	mangue en dés surgelée et dégelée
2 c. à soupe (30 ml)	concentré liquide de bœuf
2	oignons verts hachés grossièrement
1 ½ tasse (375 ml)	chapelure italienne
1 tasse (250 ml)	fromage cheddar râpé
1 tasse (250 ml)	fromage suisse râpé
1 tasse (250 ml)	fromage Monterey Jack râpé
½ tasse (125 ml)	bouillon de bœuf
2 tasses (500 ml)	mijoté de porc (voir recette) bien égoutté
2 tasses (500 ml)	bouillon du mijoté de porc (voir recette) pour accompagner
	sel et poivre, au goût

Le temps nécessaire: 5 minutes de préparation + 1 heure de cuisson

 Nécessaire pour le sauté

SAUTÉ DE LÉGUMES ET BOULETTES DE PORC AUX 3 FROMAGES

Les ingrédients

3 c. à soupe (45 ml)	huile de canola ou de tournesol
3 tasses (750 ml)	préparation de porc haché (voir recette)
1 c. à soupe (15 ml)	farine
1 ½ tasse (375 ml)	bouillon de bœuf
1 c. à soupe (15 ml)	concentré liquide de bœuf
1 ½ tasse (375 ml)	jardinière aux herbes de Provence (voir recette)

Le temps nécessaire: 15 minutes de préparation + 10 minutes de cuisson

TARTINADE DE TOFU

Les ingrédients

1 paquet de 1 lb (450 g)	tofu mi-ferme Unisoya aux herbes (ou nature), coupé en dés
6	tiges de coriandre fraîche
1	branche de céleri coupée grossièrement
1	carotte coupée grossièrement
2	oignons verts coupés grossièrement
3	gousses d'ail
2 c. à soupe (30 ml)	graines de lin moulues
1 c. à thé (5 ml)	curcuma
1	citron (le jus)
2 c. à soupe (30 ml)	sauce soya ou tamari
1 c. à soupe (15 ml)	graines de sésame grillées
½ c. à thé (2 ml)	poivre de Cayenne
	sel et poivre, au goût

Le temps nécessaire: 10 minutes de préparation

 Nécessaire pour les tortillas et la salade

La note du chef

Filet de porc

Nos hivers sont longs, et le temps des barbecues, trop court. Voilà pourquoi j'ai eu un véritable coup de foudre quand j'ai découvert la fumée liquide. Ce produit (qui ne contient que de l'eau et de la fumée naturelle liquéfiée par condensation puis filtrée) donne à vos légumes, viandes, poissons, marinades et sauces le vrai goût d'un barbecue du mois de juillet! À peine quelques gouttes transformeront un souper du mois de janvier en barbecue de la Saint-Jean!

La semaine 20, étape par étape...

ÉTAPE 1
MIJOTÉ ET FILETS
préparation des abricots, du gingembre et de l'ail
- Couper les abricots, le gingembre et l'ail.
- Réserver ensemble le gingembre et l'ail des filets et le reste dans 3 petits bols séparés.
- Chauffer le four à 375 °F (190 °C).

ÉTAPE 2
MIJOTÉ
préparation et cuisson
- Couper les carottes, les champignons et les poireaux.
- Chauffer l'huile dans une grande casserole et y faire revenir le porc à feu vif.
- Ajouter le gingembre et les légumes déjà coupés (sauf l'ail); colorer de 2 à 3 minutes.
- Ajouter l'ail et le thym, puis saupoudrer de farine et bien mélanger.
- Déglacer avec le vin rouge et laisser mijoter 1 minute.
- Verser le bouillon et le concentré de bœuf, et réduire le feu de moitié.
- Poursuivre la cuisson 45 minutes.

TERRINE DE PORC AUX
3 FROMAGES

ÉTAPE 3
FILETS
préparation de la sauce barbecue
- Mélanger tous les ingrédients au robot culinaire.
- Mettre la moitié de la sauce dans un contenant fermant hermétiquement et garder au frigo jusqu'au jour J pour servir en accompagnement des filets.

ÉTAPE 4
FILETS
cuisson de la viande
- Avec un pinceau, badigeonner les filets du reste de la sauce barbecue.
- Déposer sur une plaque allant au four et cuire de 15 à 20 minutes à 375 °F (190 °C), selon la grosseur des filets.

**Le filet de porc se mange rosé.
Attention de ne pas trop le cuire!**

ÉTAPE 5
SALADE
préparation de l'eau pour la cuisson des œufs
- Faire bouillir de l'eau salée dans une casserole.

ÉTAPE 6
SALADE
préparation des croûtons
- Trancher la baguette et faire griller au four environ 5 minutes.

ÉTAPE 7
SALADE (VINAIGRETTE) ET TERRINE
Préparation des mangues
- Sortir les mangues du congélateur

ÉTAPE 8
TARTINADE ET TERRINE
préparation des graines de lin
- Moudre les graines de lin et réserver dans 2 bols séparés.

ÉTAPE 9
SALADE
cuisson des œufs
- Plonger les œufs dans l'eau bouillante et cuire 10 minutes.

ÉTAPE 10
SALADE
fin de la cuisson des croûtons
- Sortir les croûtons du four.
- Laisser refroidir et entreposer dans un contenant hermétiquement fermé dans un endroit sec.

La conservation: 7 jours

ÉTAPE 11
TORTILLAS ET SALADE
préparation de la tartinade
- Faire griller à sec les graines de sésame dans une poêle antiadhésive.
- Couper le tofu en dés et hacher grossièrement les légumes.
- Mélanger tous les ingrédients au robot culinaire jusqu'à consistance lisse.
- Entreposer au frigo dans un contenant hermétiquement fermé.

La conservation: 5 jours

ÉTAPE 12
SALADE
fin de la cuisson des œufs
- Laisser refroidir sans écaler et entreposer au frigo dans un contenant hermétiquement fermé.

La conservation: 7 jours

ÉTAPE 13
FILETS
fin de la cuisson et entreposage
- Réduire la température du four à 350 °F (180 °C).
- Retirer la viande du four, laisser refroidir et entreposer au frigo dans un plat hermétiquement fermé.

La conservation: 3 jours

Le jour J: Réchauffer doucement 10 minutes au four préchauffé à 375 °F (190 °C). Accompagner de sauce barbecue froide ou réchauffée au micro-ondes.

Cette recette est tellement rapide à réaliser que vous pouvez préparer la sauce à l'avance et cuire les filets le jour même.

ÉTAPE 14
MIJOTÉ
ajout des autres légumes
- Couper la courgette et le poivron.
- Ajouter à la casserole avec le maïs, les abricots et la confiture; saler et poivrer au goût.
- Poursuivre la cuisson 30 minutes ou jusqu'à ce que le porc soit bien tendre.

ÉTAPE 15
SALADE
préparation de la vinaigrette
- Dans le bol du robot culinaire, mélanger tous les ingrédients sauf l'huile.
- Verser ensuite l'huile en filet en actionnant l'appareil jusqu'à l'obtention d'un mélange homogène.
- Entreposer au frigo dans un contenant hermétiquement fermé.

ÉTAPE 16
JARDINIÈRE
cuisson
- Dans une casserole couverte, cuire tous les ingrédients 10 minutes à feu moyen.

ÉTAPE 17
TERRINE
préparation
- Râper les fromages et hacher grossièrement les oignons verts.
- Au robot culinaire, mélanger tous les ingrédients sauf le bouillon de bœuf, le mijoté de porc et le bouillon du mijoté.
- Prélever 3 tasses (750 ml) de ce mélange et réserver pour le sauté.
- Réserver le reste pour l'étape 20.

ÉTAPE 18
MIJOTÉ
fin de la cuisson et entreposage
- Retirer la casserole du feu.
- Prélever 2 tasses (500 ml) de mijoté bien égoutté et réserver pour la terrine.
- Prélever également 2 tasses (500 ml) de bouillon qui servira de sauce d'accompagnement pour la terrine.
- Laisser refroidir et entreposer au frigo dans un contenant hermétiquement fermé.
- Laisser refroidir le reste du mijoté et entreposer au frigo dans un contenant hermétiquement fermé.

La conservation: 7 jours. On peut aussi le congeler.

Le jour J: Réchauffer doucement à la poêle ou au micro-ondes.

ÉTAPE 19
JARDINIÈRE
fin de la cuisson et entreposage
- Prélever 1 ½ tasse (375 ml) pour le sauté.
- Laisser refroidir le reste et entreposer au frigo dans un plat hermétiquement fermé.

La conservation: 5 jours

Le jour J: Réchauffer doucement au micro-ondes.

ÉTAPE 20
TERRINE
montage et cuisson
- Incorporer parfaitement le bouillon de bœuf et le mijoté de porc au mélange réservé à l'étape 17.
- Déposer cette préparation dans un moule à pain de pyrex (1,5 L) tapissé de pellicule plastique.
- Placer le moule dans une lèchefrite remplie d'eau aux trois quarts et cuire au four 1 heure, à 375 °F (190 °C).

ÉTAPE 21
SAUTÉ
préparation et entreposage
- Façonner en petites boulettes la préparation de terrine réservée.
- Chauffer l'huile dans une poêle et y saisir les boulettes à feu vif de tous les côtés, environ 5 minutes.
- Saupoudrer de farine et déglacer avec le bouillon de bœuf.
- Ajouter le bouillon concentré, puis laisser mijoter 1 minute ou jusqu'à consistance désirée.
- Ajouter la jardinière prélevée et bien mélanger.
- Laisser refroidir et entreposer au frigo dans un plat hermétiquement fermé.

La conservation: 4 jours

Le jour J: Réchauffer doucement à la poêle ou au micro-ondes.

ÉTAPE 22
TERRINE
fin de la cuisson et entreposage
- Sortir la terrine du four, laisser refroidir, emballer hermétiquement et entreposer au frigo.

La conservation: 5 jours

Le jour J: Réchauffer doucement 15 minutes dans un four préchauffé à 350 °F (180 °C) ou au micro-ondes. Accompagner de bouillon du mijoté de porc également réchauffé.

SALADE

montage

Le jour J: Écaler les œufs.
Couper les avocats, les œufs et les tomates.
Combiner avec le mesclun et les crevettes, puis ajouter la vinaigrette.
Accompagner de croûtons grillés et de tartinade de tofu.

TORTILLAS

montage

Le jour J: Couper les abricots et les avocats, et râper le fromage.
Envelopper les tortillas dans des essuie-tout humides et chauffer au micro-ondes environ 30 secondes.
Couvrir de tartinade de tofu, répartir le reste des ingrédients, rouler et servir.

Repérer vos recettes préférées

1
2
3
4
5
6
7
8
9
10
11
12
13
14
15
16
17
18
19

20

liste d'épicerie de la semaine 20 ☑

Fruits et légumes

1	branche de céleri
5	carottes
1	poivron rouge
2	tomates
1	courgette
4	avocats
4	oignons verts
8 oz	champignons blancs
(225 g)	
1 tasse	poireaux hachés
(250 ml)	
1 ⅓ sac	mesclun
de 350 g	
15	gousses d'ail
1 ½ tasse	maïs surgelé
(375 ml)	
6 tasses	jardinière de légumes
(1,5 L)	surgelés
2	citrons
2	limes
36	abricots séchés
2 tasses	mangue en dés surgelée
(500 ml)	

Œufs et produits laitiers

8	gros œufs
(100 g)	fromage cheddar
(300 g)	fromage Monterey Jack
(100 g)	fromage suisse râpé
⅓ tasse	beurre à l'ail
(80 ml)	

Viandes, poissons et fruits de mer

2	filets de porc d'environ 12 oz
	(375 g) chacun
1 ½ lb	porc haché
(750 g)	
4 lb	cubes de porc
(2 kg)	
1 ½ lb	crevettes nordiques, cuites
(750 g)	et décortiquées

Herbes, épices, sauces et condiments

11	tiges de coriandre fraîche
1 c. à soupe	mélange d'herbes
(15 ml)	de Provence
1 c. à soupe	thym séché
(15 ml)	
⅓ tasse	gingembre frais
(80 ml)	
1 c. à thé	curcuma
(5 ml)	
½ c. à thé	poivre de Cayenne
(2 ml)	
3 c. à soupe	sauce soya
(45 ml)	
1 c. à soupe	sauce chili
(15 ml)	
3 c. à soupe	sauce Worcestershire
(45 ml)	
½ tasse	moutarde de Dijon
(125 ml)	
¾ tasse	ketchup
(180 ml)	
1 c. à thé	fumée liquide mesquite
(5 ml)	

Bouillons, huiles et vinaigres

½ tasse	bouillon de poulet
(125 ml)	
8 tasses	bouillon de bœuf
(2 L)	
1 c. à soupe	concentré liquide de poulet
(15 ml)	
⅓ tasse	concentré liquide de bœuf
(80 ml)	
2 tasses	huile de canola ou
(500 ml)	de tournesol
½ tasse	vinaigre de cidre de pomme
(125 ml)	(ou de vin)

Riz, pains, pâtes et céréales

1	baguette
8	grandes tortillas
1 ½ tasse	chapelure italienne
(375 ml)	

Divers

⅓ tasse	confiture d'abricots
(80 ml)	
1 tasse	vin rouge
(250 ml)	

Noix, graines et légumineuses

⅓ tasse	graines de lin moulues
(80 ml)	
1 c. à soupe	graines de sésame grillées
(15 ml)	
1 paquet de	tofu mi-ferme Unisoya
1 lb (450 g)	aux herbes (ou nature)

Fonds de cuisine

3 c. à soupe	farine
(45 ml)	
½ tasse	miel
(125ml)	
3 c. à soupe	sirop d'érable
(45 ml)	
	sel et poivre en quantité suffisante

L'amitié

Passionnants et passionnés,
mes amis occupent une très
grande place dans ma vie.
Et je les en remercie!

Desserts

BONBONS AU CHOCOLAT BLANC, AUX PISTACHES ET À LA MENTHE
Donne 4 portions

Les ingrédients

10 oz (300 g)	chocolat blanc
½ tasse (125 ml)	pistaches
6	feuilles de menthe fraîche, hachées finement

Le caramel liquide

2 c. à soupe (30 ml)	beurre non salé
½ tasse (125 ml)	lait concentré (de type Carnation)
¾ tasse (180 ml)	cassonade
½ c. à thé (2 ml)	d'extrait de vanille
1	pincée de sel

Le temps nécessaire: 10 minutes de préparation + 6 heures de réfrigération

LA MÉTHODE
- Râper le chocolat dans un bol rond métallique. Ajouter les pistaches et la menthe, puis réserver.
- Mettre les ingrédients du caramel dans une casserole, porter à ébullition et cuire environ 5 minutes en remuant.
- Verser délicatement le caramel sur le mélange de chocolat et bien mélanger en pliant à l'aide d'une spatule jusqu'à ce que le chocolat soit fondu.
- Verser dans un plat de pyrex carré tapissé d'une pellicule plastique.
- Réfrigérer 6 heures ou congeler 1 heure, démouler et couper en petits carrés.

CRÈME BRÛLÉE AUX AGRUMES ET À L'ÉRABLE

Donne 4 portions

Les ingrédients

1 tasse (250 ml)	eau
2 c. à soupe (30 ml)	sucre blanc
½	orange (le zeste en fine julienne)
½	citron (le zeste en fine julienne)
2 ¼ tasses (575 ml)	crème à cuisson (15 %)
7	jaunes d'œufs
½ tasse (125 ml)	miel de fleurs sauvages
¼ tasse (60 ml)	sucre d'érable granulé (ou cassonade)

Le temps nécessaire: 20 minutes de préparation + 45 minutes de cuisson

LA MÉTHODE

- Préchauffer le four à 200 °F (95 °C).
- Dans une casserole, porter l'eau et le sucre à ébullition; y blanchir les zestes environ 10 minutes. Retirer du feu et bien éponger les zestes.
- Chauffer la crème et y ajouter les zestes blanchis; réserver.
- Battre les jaunes d'œufs avec le miel au batteur électrique jusqu'à ce qu'ils doublent de volume. Toujours au batteur, incorporer la crème chaude.
- Verser dans 4 ramequins, mettre sur une plaque de cuisson et cuire au four environ 45 minutes.
- Refroidir environ 2 heures au frigo. Juste avant de servir, saupoudrer 1 c. à soupe (15 ml) de sucre d'érable et faire caraméliser sous le gril (*broil*) de 2 à 3 minutes.

CROUSTADE AUX FRAISES ET À LA RHUBARBE

Donne 4 portions

Les ingrédients

2 ½ tasses (625 ml)	fraises coupées en 4
1 ½ tasse (375 ml)	rhubarbe, pelée et coupée en dés
½ tasse (125 ml)	cassonade (ou sucre d'érable granulé)
½ tasse (125 ml)	beurre mou
¼ tasse (60 ml)	sirop d'érable
1 tasse (250 ml)	muesli
¾ tasse (180 ml)	flocons d'avoine

Le temps nécessaire: 10 minutes de préparation + 15 minutes de repos + 30 minutes de cuisson

LA MÉTHODE

- Préchauffer le four à 375 °F (190 °C).
- Mélanger les fruits et la cassonade dans un bol. Laisser reposer 15 minutes, puis égoutter.
- Combiner le beurre, le sirop d'érable et le muesli dans un autre bol.
- Déposer les fruits dans un plat de pyrex rectangulaire beurré.
- Parsemer de flocons d'avoine, couvrir du mélange de muesli et cuire au four environ 30 minutes.

DUO MELONS
ET PETITS FRUITS

Donne 8 généreuses portions

Les ingrédients

1	melon rond à chair jaune (du cantaloup, par exemple)
1	petit melon d'eau à chair rouge, sans pépins
2 ½ tasses (625 ml)	petits fruits mélangés (framboises, bleuets et fraises)
2	oranges, pelées et coupées en demi-rondelles
2	citrons (le jus)
½ tasse (125 ml)	sucre d'érable granulé (ou cassonade)
1	bouteille d'hydromel [ou de vin blanc + 2 c. à soupe (30 ml) de miel]
1	bouteille de porto

Le temps nécessaire:
10 minutes de préparation
+ de 2 à 3 heures de réfrigération

LA MÉTHODE

• Couper les melons en 2 en façonnant le bord en dents de scie. Garder la moitié de chacun pour une autre utilisation.

• Retirer les pépins et, à l'aide d'une cuillère parisienne, former des boules avec la chair des deux melons.

• S'assurer que les melons évidés seront suffisamment stables pour ne pas verser une fois remplis; au besoin, égaliser le dessous.

• Déposer les boules dans les melons évidés de couleur contraire.

• Répartir les petits fruits et les oranges dans les melons, arroser de jus de citron, et saupoudrer de sucre d'érable et mélanger délicatement.

• Remplir le melon à chair rouge d'hydromel et le melon à chair jaune de porto.

• Laisser macérer au frigo de 2 à 3 heures, puis servir en utilisant les demi-melons en guise de bols de présentation.

EGG ROLLS AUX FRUITS ET AU CHOCOLAT
Donne 4 portions

Les ingrédients

2 ½ tasses (625 ml)	fruits frais au choix (mangue en dés, bleuets, framboises, mûres) ou de fruits surgelés, dégelés
2 c. à soupe (30 ml)	jus de citron
¼ tasse (60 ml)	sucre d'érable (ou cassonade)
¾ tasse (180 ml)	pépites de chocolat
8	carrés de pâte à egg rolls dégelés (dans les comptoirs de produits surgelés)
2	jaunes d'œufs
4 tasses (1 L)	huile d'arachide (ou huile à friture)

Le temps nécessaire: 15 minutes de préparation + 3 ou 4 minutes de cuisson

LA MÉTHODE

- Mettre les deux tiers des fruits, le jus de citron et le sucre d'érable dans le récipient du robot, et mélanger de façon à obtenir un coulis lisse; réserver.
- Répartir le chocolat et le reste des fruits sur les carrés de pâte.
- Battre les jaunes d'œufs et les délayer dans un peu d'eau froide. Badigeonner les bords de la pâte avec les jaunes d'œuf battus, replier et presser avec les dents d'une fourchette pour bien sceller.
- Chauffer l'huile dans une friteuse ou une casserole à fond épais. Frire les egg rolls jusqu'à belle coloration, soit 3 ou 4 minutes, en les retournant une fois pendant la cuisson.
- Verser un peu de coulis dans les assiettes et déposer deux egg rolls dans chacune. Servir avec le reste du coulis.

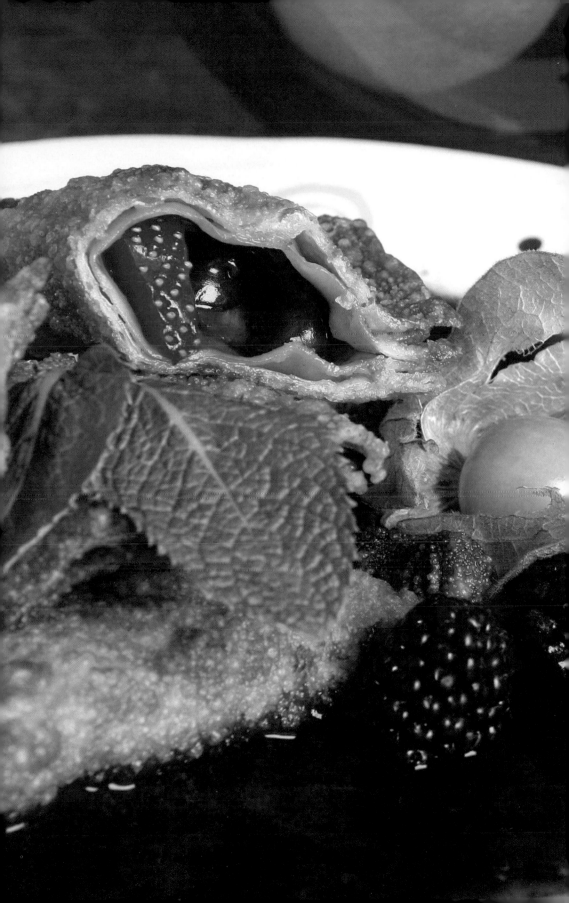

FONDANT AU CHOCOLAT
ET À LA PÂTE D'AMANDES
Donne 4 portions

Les ingrédients

10 oz (300 g)	chocolat noir à 68 %, en morceaux
6 oz (180 g)	beurre non salé mou [environ ⅔ tasse (160 ml)]
10	jaunes d'œufs
¼ tasse (60 ml)	sucre de canne (ou cassonade)
1 ¼ tasse (325 ml)	crème à fouetter (35 %)
1	tube de pâte d'amandes
2 c. à soupe (30 ml)	cacao
2 c. à soupe (30 ml)	sucre glace
1 pincée	poivre de Cayenne (facultatif)

Le temps nécessaire: 10 minutes
de préparation + 10 minutes de cuisson
+ de 2 à 3 heures de réfrigération

LA MÉTHODE

- À feu moyen, fondre le chocolat au bain-marie en prenant soin que le bol ne touche pas l'eau. Incorporer le beurre et réserver.
- Fouetter les jaunes d'œufs avec le sucre de canne jusqu'à ce que le mélange double de volume. Ajouter au chocolat fondu et laisser tiédir quelques minutes en remuant.
- Fouetter la crème en pics fermes. En pliant avec une spatule, l'incorporer délicatement au mélange de chocolat.
- Verser la préparation dans des coupes à dessert et mettre de 2 à 3 heures au frigo.
- Juste avant de servir, garnir de rondelles de pâte d'amandes, puis saupoudrer de cacao, de sucre glace et de poivre de Cayenne.

POIRES FARCIES AU CHÈVRE EN SAUCE CHOCOLAT

Donne 4 portions

Les ingrédients

¾ tasse (180 ml)	pépites de chocolat noir
¾ tasse (180 ml)	amandes grillées ou fumées, entières
¼ tasse (60 ml)	crème à cuisson (15 %)
7 oz (200 g)	fromage de chèvre aux canneberges
8	demi-poires en conserve

Le temps nécessaire:
15 minutes de préparation

LA MÉTHODE

- Combiner le chocolat et les amandes dans un petit bol. Chauffer la crème et la verser sur le mélange; remuer jusqu'à ce que le chocolat soit fondu et réserver.
- Faire une poche à pâtisserie maison en coupant un coin d'un sac à congélation de type Ziploc, y mettre le fromage et en farcir les demi-poires.
- Napper les poires farcies de la sauce au chocolat.

Bon

POUDING-CHÔMEUR
Donne 4 portions

Les ingrédients
La sauce

1 tasse (250 ml)	eau
1 tasse (250 ml)	sirop d'érable
1 tasse (250 ml)	cassonade

La pâte

½ tasse (125 ml)	beurre mou
¼ tasse (60 ml)	sucre
1	œuf
1 c. à thé (5 ml)	extrait de vanille
1 ½ tasse (375 ml)	farine blanche ou de blé entier
1 c. à thé (5 ml)	poudre à pâte
1 tasse (250 ml)	lait

Le temps nécessaire: 20 minutes de préparation + 35 minutes de cuisson

LA MÉTHODE
- Préchauffer le four à 350 °F (180 °C).
- Mélanger tous les ingrédients de la sauce dans une casserole. Porter à ébullition puis, à feu moyen, laisser mijoter 10 minutes.
- Pour préparer la pâte, mélanger le beurre et le sucre dans un bol. Ajouter l'œuf et la vanille, puis battre jusqu'à ce que le mélange soit bien homogène.
- Incorporer graduellement la farine, la poudre à pâte et le lait.
- Mettre la préparation dans un plat carré de pyrex beurré sans l'étendre et verser la sauce sans remuer. Cuire au four environ 35 minutes.

Ne vous inquiétez pas: il est normal que la sauce reste à la surface de la pâte pendant la cuisson.

TARTE AUX POIRES, AU CHOCOLAT ET AUX AMANDES

Donne 8 portions

Les ingrédients

2	boîtes de demi-poires dans le sirop
4	fonds de tarte, précuits 10 minutes
2 tasses (500 ml)	lait
2 tasses (500 ml)	crème (15 %)
6	œufs
1 c. à thé (5 ml)	extrait d'amande (ou extrait de vanille)
½ tasse (125 ml)	farine
½ tasse (125 ml)	amandes (ou noisettes) moulues
½ tasse (125 ml)	cassonade
1 tasse (250 ml)	pépites de chocolat

Le temps nécessaire: 10 minutes de préparation + de 30 à 35 minutes de cuisson

LA MÉTHODE

- Préchauffer le four à 375 °F (190 °C). Éponger les poires et les disposer dans les fonds de tarte, la cavité en dessous (ou les couper d'abord en fines tranches); réserver.
- Mélanger le lait, la crème, les œufs et l'extrait d'amande dans un bol. Verser sur les poires.
- Combiner le reste des ingrédients dans un autre bol et parsemer les tartes de ce mélange.
- Cuire au centre du four de 30 à 35 minutes.

TIRAMISU À LA CRÈME DE CASSIS ET À LA MENTHE FRAÎCHE

Donne 4 portions

Les ingrédients

6	jaunes d'œufs
3 c. à soupe (45 ml)	sucre d'érable granulé (ou cassonade)
10 oz (300 g)	mascarpone
1 tasse (250 ml)	crème à fouetter (35 %)
½ tasse (125 ml)	crème de cassis
⅓ tasse (80 ml)	eau
	doigts de dame (en quantité suffisante)
	cacao, pour saupoudrer
2 tasses (500 ml)	bleuets
	feuilles de menthe fraîche

Le temps nécessaire:
15 minutes de préparation
+ de 2 à 3 heures de réfrigération

- Battre les jaunes d'œufs avec le sucre d'érable au batteur électrique jusqu'à ce que le mélange triple de volume. Ajouter le mascarpone et continuer de bien mélanger.
- Dans un autre bol, battre la crème en pics fermes. L'incorporer très délicatement à la préparation d'œufs, en pliant à l'aide d'une spatule.
- Mélanger la crème de cassis et l'eau, et y tremper les doigts de dame un à un. Les déposer sur le contour de quatre verres à martini, puis remplir le centre avec la préparation au fromage. Saupoudrer de cacao, puis garnir de bleuets et de feuilles de menthe.
- Laisser reposer au frigo 2 ou 3 heures avant de servir.

Lexique

Al dente
Expression italienne signifiant «à la dent» et qui désigne le juste degré de cuisson des pâtes, et par extension des légumes, qui doivent être encore fermes sous la dent.
Réf.: *Larousse gastronomique*

Braiser
Cuire dans un récipient clos, avec peu de liquide, longuement et à feu doux.
Réf.: *Larousse gastronomique*

Brunoise
Mélange de légumes coupés en dés de 1 à 2 mm de côté.
Réf.: *Larousse gastronomique*

Émulsion
Préparation obtenue en ajoutant à un liquide un autre liquide avec lequel il ne se mélange pas: huile et vinaigre, par exemple.
Réf.: *Larousse gastronomique*

Étuver
Faire cuire un aliment à chaleur douce, à couvert, avec très peu de matière grasse et de liquide ou uniquement dans l'eau de végétation rendue par cet aliment.
Réf.: *Larousse gastronomique*

Évaporation à sec
Faire réduire jusqu'à évaporation complète du liquide, sans remuer.

Frémir
Faire chauffer un liquide jusqu'à ce qu'il s'agite légèrement, c'est-à-dire juste avant le point d'ébullition.

Griller à sec
Griller sans ajouter de corps gras.

Pocher
Cuire dans un liquide chaud au seuil du point d'ébullition.

Table des matières

SEMAINE 6   75

Au menu cette semaine:
- Soupe-repas de poisson aux parfums d'Italie
- Risotto de fruits de mer et chorizo
- Crêpes farcies et béchamel de fromage de chèvre
- Pennines aux 3 fromages et au chorizo
- Salade-repas de la Nouvelle-Orléans

SEMAINE 7   87

Au menu cette semaine:
- Mijoté de poulet aux agrumes et aux olives
- Quiches de la mer aux pommes et aux noix
- Terrines de truite saumonée aux fruits et aux épices cajuns
- Linguines de poulet au gorgonzola
- Soupe-repas à l'oignon et au poulet gratinée

SEMAINE 8   99

Au menu cette semaine:
- Pavés de mahi-mahi sur lit de courge spaghetti
- Sauté de veau aux parfums des îles
- Riz de saucisses italiennes à l'orange et au cari
- Salade de thon et de courge
- Super-dogs à l'italienne
- Frittata de veau et de courge spaghetti

SEMAINE 9 113

Au menu cette semaine:
- Cannellonis d'agneau aux 3 fromages
- Portobellos d'agneau aux tomates séchées et aux pignons
- Spaghettis de la mer à la sicilienne
- Basmati d'agneau aux herbes
- Cari de légumes au flétan et aux fruits de mer
- Sauce tomate au fenouil et aux olives vertes

SEMAINE 10 125

Au menu cette semaine:
- Côtes levées et pilons de poulet à l'orange et au sésame
- Fajitas au couscous et au saumon
- Gratin de légumes et de poulet épicé
- Tortellinis au poulet et au bacon
- Darnes d'espadon grillées
- Salade à la grecque et mayonnaise au bleu et à l'anis

SEMAINE 11 137

Au menu cette semaine:
- Pommes de terre boulangère au fenouil
- Poulets farcis aux herbes fraîches et à la moutarde
- Roulades d'asperges en béchamel
- Fettucines aux épinards et au crabe
- Ciabattas au poulet chaud et aux champignons
- Salade César au crabe et au chèvre

SEMAINE 18   225

Au menu cette semaine:
- Mijoté de bœuf au vin de fraise et au romarin
- Crème d'épinards et de dinde accompagnée de bruschettas aux poireaux
- Roulades d'aubergine à la dinde et aux pommes
- Riz basmati au bœuf, au maïs et à la feta
- Lasagne d'aubergine au bœuf

SEMAINE 19   237

Au menu cette semaine:
- Filets de porc farcis à l'italienne
- Risotto aux boulettes italiennes et au fenouil
- Galettes de pommes de terre et de poulet
- Gnocchis au poulet cajun
- Salade romaine et sa vinaigrette César
- Hamburgers italiens
- Sauce tomate au poivre vert

SEMAINE 20   249

Au menu cette semaine:
- Jardinière aux herbes de Provence
- Mijoté de porc au vin rouge et aux abricots
- Filets de porc en sauce barbecue
- Tortillas aux crevettes et aux avocats
- Salade à la mangue et aux crevettes accompagnée de croûtons au tofu
- Terrine de porc aux 3 fromages
- Sauté de légumes et boulettes de porc aux 3 fromages

Achevé d'imprimer au Canada par
Marquis Imprimeur Inc.